D1587869

Geklutste geheimen
met strafwerk toe

Carry Slee

Geklutste geheimen

MET STRAFWERK TOE

Pimento

Lees ook deze boeken van Carry Slee:
Confetti conflict
Kilometers cola en knetterende ruzie
Verdriet met mayonaise

Getipt door de Nederlandse Kinderjury

www.carryslee.nl

Eerste druk 1995
Vijftiende druk 2006

© 1995 Carry Slee
© 2005 Carry Slee en Pimento bv, Amsterdam
Omslagontwerp Rianne Cramer
Foto voorzijde omslag Zefa
Typografie en zetwerk ZetSpiegel, Best
isbn 90 499 2082 9
nur 283

Carry Slee is een imprint van Foreign Media Books bv,
onderdeel van Foreign Media Group

Inhoud

Indringers

Jeroen duwt het ijzeren hek open en loopt het schoolplein op. Brrr… wat is het hier donker. Als hij de weg
niet zo goed kende, zou hij vast en zeker over dat rotti-
ge glijbaantje zijn gestruikeld. Hij haalt de sleutels uit
zijn zak. Veel zin om naar binnen te gaan, heeft hij niet.
Waarom heeft het bestuur die cijfers ook per se vanavond nodig? Nou moet hij die pikdonkere school in
om de map voor zijn vader te halen.
Hij duwt de voordeur open en knipt snel het licht aan.
Hèhè, nu ziet hij tenminste iets. Raar, zo'n lege
school. Als hij langs het hok van Pluimpje en Borstel-
tje komt, steken er twee neusjes door het gaas. Jeroen
streelt de neusjes met zijn vinger. 'Nee, ik heb niks
voor jullie.' Hij loopt door naar de kamer van zijn vader en doet het licht aan. Jeroens ogen glijden door de
kleine ruimte. Hij krijgt een benauwd gevoel. Zelfs nu
zijn vader er niet is. Wat is zijn pa toch ordelijk. Er ligt
niks overbodigs op het bureau. Moet je die planken
zien… heel iets anders dan de klas van meester Erik.
Daar lijkt het af en toe wel een vuilnisbak. Jeroen
schiet in de lach. De klas van meester Erik mag dan een

7

rommeltje zijn, het is er wel keigezellig, met het terrarium en al die planten. En de muren hangen vol gave posters.

Hij trekt de la van het bureau open. Bovenop ligt een groene map. Die moet hij hebben.

Met de map onder zijn arm loopt hij het kamertje uit. Halverwege de gang blijft hij staan. Heeft hij het licht wel uitgedaan? Voor de zekerheid gaat hij toch maar even terug. Laatst was hij het ook vergeten. Nou, dat heeft hij geweten. Wat was zijn vader kwaad. In plaats van lekker met Amber in de schuilhut in de duinen vogels kijken, kon hij een opstel schrijven over een jongen die zijn hersens niet gebruikte. Hij was er de hele zaterdagmiddag mee bezig geweest. En 's zondags moest hij de fouten verbeteren.

Als hij zich omdraait, valt zijn oog op het lokaal van meester Erik. Door het ruitje van de deur schijnt licht. Moet je meemaken! Heeft die mafkees hen een heel project laten maken over energiebesparing en dan laat hij zelf het licht branden. Wacht maar, dat zal hij wel even regelen.

Jeroen doet de deur van het lokaal open. Op het moment dat hij zijn vinger bij het lichtknopje houdt, voelt hij een mes tegen zijn keel.

'Eén kik en ik snij je strot door!'

Voor Jeroen staan drie jongens. De jongen met het mes staat een beetje stom te lachen met zijn kaalgeschoren kop. De ander, een beer van een jongen, heft dreigend zijn vuist op alsof hij Jeroen elk moment in elkaar gaat slaan. En de derde, de kleinste, loert gluiperig in het rond.

De Kale laat het mes langzaam zakken. 'Je had zeker al op ons gerekend…'

De voordeur… schiet het door Jeroen heen. In zijn haast heeft hij de voordeur open laten staan…

'Wat willen jullie van me?' vraagt hij bang.

'Wij stellen hier de vragen, begrepen?' De Kale houdt zijn gezicht vlak voor hem.

'Het zou heel dom van je zijn als je je mondje voorbij-praat, eikeltje.' De Beer duwt zijn vuist tegen Jeroens neus. 'Nou? Zijn we verstandig?'

Jeroen knikt.

'Je bent gewaarschuwd, krielkip. Ik hoop voor jou dat je geen grapjes met ons uithaalt, want dan weten we je te vinden.' Als ze weglopen, ziet Jeroen dat de Gluiperd iets glimmends onder zijn jas duwt.

Het geldkistje… schiet het door Jeroen heen… Ze heb-ben het geldkistje van meester Erik gepikt… met al het geld van het schoolreisje erin…! Nou zul je zijn vader horen. Hij weet nu al wat zijn vader gaat zeggen.

'Ik kan ook niets aan jou overlaten. Je hebt blijkbaar niets geleerd van de vorige keer. Je begrijpt nog steeds niet waar je hersens voor dienen. Dan zullen we het an-ders moeten aanpakken…'

Misschien moet hij wel een heel werkstuk over hersens maken. Dat kost hem minstens vier weekenden.

Jeroen denkt na. Zijn ouders hoeven het natuurlijk niet te weten. Als hij niks zegt, denken ze dat er is ingebroken. Dat kan toch? Er is dit jaar al twee keer ingebroken, dus zo gek is dat niet. En dan krijgen ze bovendien het geld van de verzekering terug. Eigenlijk is dat nog veel beter. Niemand hoeft het te weten, alleen Amber. Jeroen verstijft. Hoorde hij nou weer iets? Of kwam het van buiten? Nou ja, laat-ie maar snel weggaan. Voordat ze terugkomen…

Hij knipt vliegensvlug het licht uit, rent de gang door en trekt de voordeur achter zich dicht. Hij staat nog te trillen op zijn benen. In elke schaduw ziet hij de jongen met het mes. Zonder op of om te kijken holt hij het schoolplein over. Bij zijn huis blijft hij even staan uitblazen. Hij moet zo gewoon mogelijk doen.

Hij telt tot drie en stapt naar binnen. Saar springt kwispelstaartend tegen hem op.

'Ja, het baasje is er weer.' Jeroen streelt het hondenkopje en loopt door naar de kamer.

Zijn vader zit verscholen achter de krant. Zonder Jeroen aan te kijken houdt hij zijn hand op. Jeroen legt de map erin. Of zal hij het wel vertellen? Hij blijft bij de leunstoel staan dralen.

'Heb je het licht uitgedaan?' vraagt zijn moeder.

'Natuurlijk heeft hij het licht uitgedaan,' bromt zijn vader van achter de krant. 'Dat mag je toch wel verwachten van een jongen uit groep acht.'

'Pap…' probeert Jeroen voorzichtig.

Als hij in de strenge ogen van zijn vader kijkt, durft hij het niet meer.

'Ik eh… mag ik nog even naar Amber?' vraagt hij gauw.

Zijn vader vouwt de krant op. 'Heb je je huiswerk af?'
Jeroen knikt.
'Nou, schiet dan maar op. Maar je kent de regels: half-
negen thuis.'

Amber

Zodra Amber de deur opendoet, ziet Jeroen dat er iets mis is.

'Wat is er?' vraagt hij als ze op haar kamer zijn.

'Dat stomme mens!' Er staan tranen in Ambers ogen.

'Heb je ruzie?'

'Nee, ik heb geen ruzie. Ik haat haar! Ze kan oprotten…'

'Waar heb je het over?' vraagt Jeroen. 'Jouw moeder is juist hartstikke lief.'

Amber springt op. 'Wat nou lief? Hoe weet jij dat nou? Jij komt hier alleen af en toe binnenvallen. Hoe weet jij nou hoe het is om hier te wonen? Ik zal ook eens zo doen als jij weer eens strafwerk hebt. Ach, een half boek overschrijven op je vrije zaterdag, wat zou dat nou? Ik vind je vader toch een toffe peer, hoor! Heb ik ooit zoiets stompzinnigs gezegd?'

'Nee,' zegt Jeroen, 'maar jouw moeder lijkt zo aardig. Je mag altijd alles.'

'Ja, logisch mag ik alles. Het kan haar niks schelen wat ik doe. Ze weet het niet eens. Een bedriegster is het.'

Amber laat zich op bed vallen en staart dan een tijdje

voor zich uit. Er zit haar iets dwars, dat merkt Jeroen wel.

'Als je het niet wilt vertellen, hoeft het niet, hoor,' zegt hij.

Amber bijt op haar lip. 'Ze heeft al dagen migraine. En ik maar denken dat ze zielig was. Ik deed zowat alles: opruimen, de boodschappen, koken. Maar ze heeft helemaal geen migraine. Ze is... ze is weer eens dronken...'

'Dronken?' Jeroen kijkt Amber verschrikt aan. 'Dronken...? Jouw moeder?'

Amber slaat haar ogen neer. 'Het is al een hele tijd aan de gang. Ongeveer een jaar. Sinds ze geen baan meer heeft. En het komt natuurlijk ook omdat mijn vader zo weinig thuis is. Nu zit hij ook weer in de lucht.'

'Is ze dan elke dag dronken?' vraagt Jeroen.

'Soms een paar maanden niet,' vertelt Amber. 'Dan gaat het goed. Maar ik ben bang dat ze nu weer is begonnen.'

'Waar merk je dat dan aan?' vraagt Jeroen.

'Toen ik haar vanmiddag een zoen gaf, rook haar adem naar sherry.'

'Dat kan ook van één glaasje zijn,' zegt Jeroen. 'Als mijn moeder een wijntje op heeft en ze geeft me een nachtzoen, ruik ik het ook.'

'Maar haar stem klinkt weer zo raar. Alsof haar tong dwars in haar mond zit. En als ik iets vertel, lacht ze met heel lange uithalen.' Amber zucht. 'Misschien verbeeld ik het me alleen maar, omdat ik er zo bang voor ben. Ze had ons plechtig beloofd ermee op te houden.'

'Vertel je het tegen je vader?' vraagt Jeroen.

'Nog niet. Ik moet het eerst zeker weten. Stel je voor dat ik me vergis.'

'Dat kun je toch aan de sherryfles zien,' zegt Jeroen. 'Je kijkt gewoon hoeveel eruit is.'

'Dat probeer ik al een tijdje,' zegt Amber, 'maar de fles is meestal halfvol.'

'Nou, dan is ze dus niet begonnen,' stelt Jeroen vast.

'Hoe weet je nou of het dezelfde fles is?' zegt Amber.

'Die flessen zijn van hetzelfde merk. Ik zie geen verschil.'

'Staan er nergens lege flessen?' vraagt Jeroen.

'Nee, zo handig is ze wel. De eerste keer heeft ze het ook zo lang voor me verborgen kunnen houden. Ze wiste alle sporen uit. Er stond zelfs nooit een sherry-glas in de afwasmachine.'

'Toch moet er iets op te verzinnen zijn,' vindt Jeroen.

'Ja, maar wat?' Amber schuift met haar voet over de grond.

Ineens heeft Jeroen een idee. 'Je moet die sherryfles merken.'

'Merken?'

'Ja, je kunt toch een piepklein stipje op het etiket zetten?'

Daar had Amber nog niet aan gedacht. Maar ze blijft somber. 'Het is hartstikke rottig, hoor, om je moeder te bespioneren.'

Jeroen knikt. 'Maar als je zeker weet dat ze weer is begonnen, kun je haar misschien helpen.'

'Helpen? We hebben haar al zo vaak geholpen. Als ze nu weer is begonnen, dan… dan weet ik het niet meer, hoor.'

'Is ze beneden?' vraagt Jeroen.

'Ze ligt met hoofdpijn op de bank.'

'Nou, wat let je?' Jeroen drukt een zwarte viltstift in Ambers hand.

Als Amber weg is, denkt hij weer aan het geldkistje. Het is beter dat hij het nu niet vertelt. Amber heeft al genoeg aan haar hoofd.

'Gefikst?' vraagt hij als ze terug is.

Amber knikt.

'Ik hoop voor jou dat die fles er morgen nog net zo staat.'

'Ik ook.' Amber slaat een arm om Jeroen heen. 'Ik was niet zo aardig, hè?'

Jeroen voelt dat hij rood wordt. 'Nou eh… ik ga maar weer eens. Je weet hoe mijn vader is. De mazzel.' En hij loopt de trap af.

'Jeroen…?' roept Amber als hij bijna beneden is.

Jeroen draait zich om.

'Tot morgen, hè?'

Wat heeft ze toch prachtig haar, denkt Jeroen. 'Tot morgen.' En hij trekt de deur achter zich dicht.

Op het nippertje

Als Jeroen de volgende ochtend het schoolplein op fietst, houden zijn vrienden hem tegen.

'Wat is dit nou weer voor supersonische snelheidsmeter?'

'Moet je die koplamp zien, flitsend, hoor,' lacht Liza.

'Gistermiddag in elkaar geflanst.' Jeroen zet zijn fiets in het rek.

'Wie heeft er gisteravond *Muscleman* gezien?' vraagt Tim.

Er gaat een gejuich op.

Daniël stoot Jeroen aan. 'Vond je het niet cool?'

Jeroen reageert niet.

Hij denkt de hele tijd aan het geldkistje. Als meester Erik het maar niet ontdekt waar hij bij is.

'Hé, Willy Wortel!' Daniël zwaait met zijn hand voor Jeroens ogen.

'Eh… wat…?' Jeroen kijkt verward op.

Iedereen moet lachen. 'Ook goeiemorgen.'

'Wat sta je nou te maffen, man?' vraagt Tim.

'Jeroen staat helemaal niet te maffen, hè?' Liza slaat een arm om Jeroen heen. 'Hij vraagt zich af welke weg hij zal nemen als hij mij straks naar huis brengt. Ik heb tenslotte een lekke band. Dat jullie nou zo hard zijn, maar Jeroentje laat mij heus niet alleen naar huis lopen.' Ze geeft Jeroen een zoen op zijn wang.

'Zo is dat.' Jeroen kijkt Ambers kant op. Die vindt het gelukkig niet erg.

'Help!' Tim grijpt naar zijn hoofd. 'Ze heeft eindelijk een slachtoffer gevonden, jongens. Eindelijk een gek die erin trapt.'

'Zeg dat nog eens!' Liza grijpt een boek uit haar rugtas en slaat ermee op Tims hoofd.

'Au!' Tim grijpt met een pijnlijk gezicht naar zijn hoofd. 'Precies op mijn zwakke plek,' kermt hij dramatisch.

'Wat nou zwakke plek,' lacht Amber hem uit. 'Je bent gewoon kleinzerig, maar dat wisten wij allang.'

'Helemaal niet.' Tim duwt zijn haar opzij en laat een roze plekje zien. 'Ik heb een keer een gat in mijn kop gevallen.'

'O, nou snappen we waarom je af en toe zo vreemd doet,' plaagt Jeroen.

'Leuk, hoor,' jammert Tim. 'Van je vrienden moet je het hebben. Daar zullen jullie spijt van krijgen. Ik ga morgenmiddag een heerlijk soepje maken. En jullie krijgen er niks van.'

'Hij gaat een heerlijk soepje maken... Horen jullie dat, jongens?' lacht Thijs. 'Herinneren jullie je dat verkoolde prutje van vorige week? Dat noemt hij soep.'

Tim wil Thijs grijpen, maar op dat moment komt

meester Erik het schoolplein op. 'Meester,' zegt Tim met een kinderachtig stemmetje, 'ze pesten me, alleen maar omdat ik rood haar heb.'

'O…' Iedereen begint verontwaardigd te loeien.

Meester Erik aait Tim over zijn bol. 'Wat zijn het toch een nare kinderen. Voor straf maak ik het proefwerk heel moeilijk. Kom maar gauw met mees mee, dan fluister ik jou alvast de antwoorden in je oor.'

'Dat is vals,' roept de halve klas. Ze kijken lachend naar hun klasgenoot die zich als een sulletje aan de hand van de meester laat meevoeren. Bij de deur steekt Tim zijn tong uit naar zijn vrienden. 'Ik krijg een tien en jullie lekker niet. Lekker puh!'

Jeroen schudt lachend zijn hoofd. Wat is het toch een meelbiet.

'Tim,' vraagt Erik als hij een som op het bord heeft geschreven, 'kun jij vandaag eens vijf minuten serieus zijn? Denk je dat dat zou lukken?'

Tim doet of hij flauwvalt. 'Vijf minuten? Zo lang…?'

'Moeilijk voor je, hè? Kom maar even voor het bord. Dan mag je deze som oplossen.' Erik duwt het krijtje in Tims hand.

Tim staart met een rood hoofd naar het bord. Als hij het antwoord niet weet, gluurt hij vanuit zijn ooghoeken de klas in. Hasna beweegt haar lippen. Twintig, leest Tim en hij schrijft het getal op.

'Je weet het dus wel,' zegt Erik. 'Waarom duurde het dan zo lang?'

Tim haalt geheimzinnig zijn schouders op. 'Ik wist het goeie antwoord meteen. Maar dat staat zo uitsloverig. Eigenlijk ben ik een wonderkind. Maar weet u… ik ben zo bang dat ze me dan uit het kookcafé knikkeren. Mijn vrienden zijn nou eenmaal niet zo slim, snapt u. Vooral Hasna niet.'

'Dat noem ik brutaal,' lacht Hasna. 'Ik zal maar niks zeggen.'

'Mijn complimenten voor je acteertalent. Als jij een wonderkind bent, heb je dat hier op school wel heel goed weten te verbergen. Nou, professor, ga maar zitten.' Erik geeft Tim een duwtje in de richting van zijn plaats. 'Hoe is het eigenlijk met jullie kookcafé?' informeert hij dan.

Liza steekt haar duim omhoog. 'We zijn al begonnen. Het is bij ons in het tuinhuis. Mijn vader geeft ons kookles.'

'Wanneer komt u trouwens bij ons eten?' vraagt Jeroen. 'Dat had u beloofd.'

'Zodra mijn computercursus is afgelopen, jongens.' Erik kijkt in zijn agenda. 'Volgende week is de laatste les. Dat wordt dan de tiende.'

'Dan moet u om drie uur komen,' zegt Daniël. 'Dan zijn we klaar met koken.'

'U wou toch afvallen,' zegt Marijn met een ernstig gezicht. 'Het is hartstikke goed voor de lijn. Ik heb woensdag ook bij ze gegeten. De hele week kon ik geen hap meer door mijn keel krijgen.'

'Ja, dat kwam door mijn superexotische smikkelstaartsoep,' zegt Tim trots.

'Superexotische prikkeldraadsoep zul je bedoelen,' lacht Marijn.

Liza steekt haar vinger op. 'Mogen wij met het driedaagse schoolreisje ook koken, mees?'

Erik knikt verrast. 'Dat lijkt me een geweldig idee.'

'Gaaf,' zegt Hasna. 'Dan maken we het heel gezellig. Net als in ons café. We nemen kaarsjes mee en heel romantische muziek.'

'Daar ben ik niet op tegen,' zegt de meester.

'Ja, dat wil je wel, hè meester,' plaagt Tim. 'En dan lekker met juf Zijlstra schuifelen. Zeg maar eerlijk, je bent op juf Zijlstra.'

Iedereen begint te gieren van de lach. Erik en juf Zijlstra... Alleen het idee al. Hun leuke meester met dat strenge mens van wie je niet eens mag gymmen als je je huiswerk niet goed hebt geleerd. En die bij het minste of geringste pakken strafwerk uitdeelt.

'Jaaaa!' plagen ze Erik. 'Meester is verliefd op juf Zijlstra. Meester is verliefd op juf Zijlstra.'

'Ssst...' Erik legt zijn vinger tegen zijn lippen. 'Zo meteen hoort ze het. En dan wil ze met alle geweld mee met het schoolreisje.'

'Help!' Van schrik zijn ze doodstil.

'Nu we het toch over het schoolreisje hebben,' gaat Erik verder, 'van sommige kinderen heb ik nog geen geld binnen.'

Jeroen verschiet van kleur. Daar heb je het al. Zo meteen merkt hij dat het geldkistje weg is...

Hij kijkt vol spanning hoe de meester opstaat en naar

de kast loopt. Bij elke stap voelt hij zijn maag samentrekken. Net op het moment dat Erik de la wil opentrekken, wordt er geklopt. Er komt een groepje kleuters binnen met een jarige voorop. Jeroen werpt een hoopvolle blik op zijn horloge. Nog vier minuten en dan is het pauze. Als die jarige nu nog een poosje in de klas blijft… Terwijl Erik een plak cake van het schaaltje neemt, voelt Jeroen zijn hart in zijn keel kloppen.

'Kom maar mee, dan zal ik eens kijken wat ik voor je heb,' zegt Erik.

Goed zo, denkt Jeroen. Doe er maar lekker lang over.

Nadat de jarige heeft opgenoemd wat ze heeft gekregen, verlaten de kleuters de klas.

Nog één minuut, denkt Jeroen. Schiet op, bel, rinkel nou!

'Waar waren we ook weer gebleven?' vraagt Erik. 'O ja, ik zou kijken wie er nog moet beta…' Midden in de zin rinkelt de bel.

'Is het al zo laat?' vraagt Erik. 'Nou, jongens, naar buiten. En zet je gymspullen vast klaar. Dan gaan we straks meteen door naar de gymzaal.'

Jeroen slaakt een zucht van verlichting.

Ruzie

'Zal ik met je meegaan?' vraagt Jeroen als ze na schooltijd bij het fietsenhok staan. Hij heeft heus wel gemerkt
dat Amber tegen het eind van de middag steeds zenuw-
achtiger werd.
'Nee,' zegt Amber. 'Als er geen stip op het etiket staat,
ontplof ik. Misschien begin ik dan wel tegen jou te
schreeuwen.'
'Nou, ik ben anders wel wat gewend met zo'n vader.'
Amber aarzelt even. Dan steekt ze haar fietssleutel in
het slot. 'Nee, doe toch maar niet.'
'Oké,' zegt Jeroen. 'Maar als je moeder een scène trapt
omdat jij het ontdekt hebt, kom je naar mij toe. Ik blijf
thuis, goed?'
'Een scène trapt...?' roept Amber verontwaardigd. 'Zij
een scène trappen...? Omdat ze zelf zo stom is? Dat
moet er nog eens bij komen! Dan zit ik vanavond nog
met mijn rugzak in de trein.'
Jeroen schrikt. 'Je loopt niet zomaar weg, hoor!'
'Nee, gek, ik laat je heus wel weten waar ik zit.' En Amber stapt op haar fiets.

Jeroen zit nog geen halfuur aan zijn huiswerk als Amber met roodbehuilde ogen zijn kamer in komt.

'Stond er geen stip op de fles?' vraagt hij voorzichtig.

Amber schudt haar hoofd.

'Echt niet? Heb je goed gekeken?'

'Natuurlijk heb ik goed gekeken.' En Amber begint te huilen.

'Weet ze dat je het hebt ontdekt?' Jeroen gaat naast haar op bed zitten.

'Ja,' snikt Amber. 'Ze kwam net de keuken in toen ik met de fles in mijn hand stond. Ik wist precies waar ik die stip had gezet, in de linker bovenhoek. Ik schrok me rot toen ik zag dat het een andere fles was. Eerst kon ik niks zeggen, maar toen viel ik tegen haar uit.' Amber wrijft haar gezicht langs haar mouw. 'Ze was dronken. Ik geloof dat het niet eens tot haar doordrong. Ze begon heel stom te lachen.'

'En toen?'

'Toen werd ik nog kwaaier. Ik flapte er van alles uit. Dat ze een bedriegster was. En een rotmoeder. En dat ze niet van mij hield. Ik weet niet wat ik allemaal schreeuwde.'

'Wat zei ze toen?'

'Niks. Ze stond me maar een beetje aan te gapen. Toen werd ik helemaal razend. Ik gooide de sherryfles leeg in de gootsteen, voor haar neus.'

'Jemig.' Jeroen schrikt. 'En toen?'

'Toen werd ze woedend. Haar kostbare sherry, wat denk je? Ze liep de gang in en rukte de autosleutels van het haakje. "Blijf hier!" riep ik nog. "Je mag niet rijden. Je bent dronken." Maar ze luisterde niet. Ik probeerde de sleutels af te pakken, maar toen kreeg ik een klap in mijn gezicht. En daarna reed ze weg.'

'Met al die drank op?'

Amber slaat haar handen voor haar gezicht. 'Ik ben zo bang… straks gebeurt er een ongeluk. Misschien rijdt ze wel iemand aan… misschien wel dood, dan is mijn moeder een moordenaar…'

'Deed ze dat de vorige keer ook? Stapte ze toen ook in de auto als ze dronken was?'

'Nee,' zegt Amber. 'Maar toen was ik veel voorzichtiger. Ik maakte nooit ruzie als ik merkte dat ze te veel gedronken had.'

'Hoe heb je het toen ontdekt?'

Amber prutst aan haar trui. 'Ik vermoedde het al een tijdje. Maar tegelijk stopte ik het weer weg. Je wilt het niet. Je wilt niet weten dat je moeder drinkt. Tot mijn ouders op een dag knetterende ruzie hadden. Mijn vader schreeuwde tegen mijn moeder. Toen ik de kamer in kwam, hield hij opeens zijn mond. Toen kon ik het niet langer voor me houden. Ik zei dat ik heus wel wist waar het over ging. Dat mijn moeder dronk. Ze schrokken heel erg dat ik het wist. Mijn vader nam me later apart. Hij zei dat we haar moesten helpen. Dat ik heel lief voor haar moest zijn. Ja ja, hij heeft makkelijk praten. Hij zit ergens in de lucht, boven Afrika. En ik zit hier met een moeder die met haar dronken kop in de auto stapt…'

Jeroen knijpt zachtjes in Ambers hand. 'Waar denk je dat ze naartoe is?'

Amber haalt haar schouders op. 'Maakt mij wat uit. Voor mijn part komt ze nooit meer terug.' Ze geeft een trap tegen het bed. 'Ik ben hartstikke kwaad. Ik moet weten waar ze haar voorraad heeft. Als ik die flessen vind, dan... dan gooi ik ze allemaal leeg.' Ze staat op en loopt naar de deur.

'Wacht, ik ga met je mee. Ik ben een echte speurder.' En Jeroen staat al naast Amber.

'Niks!' Amber smijt de kelderdeur dicht. Ze loopt zuchtend de kamer in. 'Ik weet het niet, hoor, we hebben overal gekeken.'

'Toch moeten ze ergens zijn,' zegt Jeroen. 'Of, eh... of haar voorraad was op en werd ze daarom zo boos toen jij haar sherry weggooide. Misschien was het haar laatste fles en is ze nu sherry kopen.'

'Daar is ze!' Amber schiet naar het raam. 'Gelukkig, de auto ligt niet in de kreukels.'

'Wil je dat ik wegga?' vraagt Jeroen als hij de sleutel in het slot hoort steken.

'Nee, juist niet.' Amber vliegt de trap op naar boven. 'Ik moet er niet aan denken om nu met haar alleen te zijn.'

'Wil je soms bij ons eten?'

'Nee,' zegt Amber, 'dat mocht ze willen. En dan zeker de hele avond sherry drinken. Mooi dat ik haar in de gaten hou. En als ze een slok drinkt, dan... dan smijt ik haar glas zo in de vuilnisbak.'

Jeroen kijkt op zijn horloge. 'Je kunt nog van gedachte veranderen. We eten preitaart.'

'Nee,' zegt Amber beslist, 'ik blijf thuis. Ik denk dat ik mijn vader een fax stuur. En ik moet mijn dictee ook nog leren.'

'Wat nou dictee leren?' zegt Jeroen. 'Jij haalt toch wel weer een tien. Jij bent zo goed in taal. Maar hoe moet ik al die moeilijke woorden in mijn kop stampen? Weet je hoeveel zinnen het zijn? Veertien!'

'Ik schrijf wel een beetje groot,' belooft Amber.

'Gaaf,' zegt Jeroen.

Amber loopt met hem mee naar beneden.

Als ze langs de huiskamer komt, smijt ze de kamerdeur dicht. 'Die dronken kop hoef ik voorlopig niet te zien.'

'Weet je zeker dat je niet mee wilt?' probeert Jeroen voor de derde keer.

Amber schudt haar hoofd. 'En dan worden we zeker weer overhoord door je vader? Net als de vorige keer. Toen moesten we opnoemen welke vitamines er in het eten zaten. Dankjewel, dan blijf ik liever hier.'

Jeroen knikt. 'Zo is mijn vader. Hij is en blijft altijd onderwijzer, 's morgens, 's middags en 's avonds. Ik ben eraan gewend. Maar ik snap dat jij daar geen zin in hebt. Als ik jou was, zou ik wel op mijn kamer blijven, anders heb je zo weer ruzie.'

'Dat krijgen we toch wel,' zegt Amber. 'Met mij is ze nog niet klaar.'

'Ik zou voor de zekerheid de autosleutels maar verstoppen,' fluistert Jeroen.

'Goed idee van je.' Amber loopt naar de kapstok en voelt in haar moeders jaszak. 'Hebbes!' Ze laat de sleutels in haar broekzak glijden. 'Zo, die krijgt ze vanavond niet meer terug.'

'Sterkte.' Jeroen stapt op zijn fiets en rijdt weg.

Pizza

'Je mag drie keer raden wat we vandaag gaan maken,' zegt Tim als Jeroen het tuinhuis in komt.

'Wacht even...' Jeroen inspecteert het aanrecht. Hij ziet paprika's, tomaten en champignons... Spaghetti? Ineens valt zijn oog op een grote kom deeg. 'Pizza!' zegt hij verrast.

'Jaaa! Een applausje voor deze intelligente jongeman, dames en heren,' zegt Tim met bekakte stem. 'Hij mag door naar de tweede ronde.'

'Ja, de groeten. Ik ben hier niet in de studio.' Jeroen smijt lachend zijn spijkerjack op de stoel.

'We moeten het goed organiseren,' zegt de vader van Liza. 'Voor de bodems heb ik twee sterke beren nodig en...' Voor hij uitgepraat is, stapt Tim al naar voren. 'Twee sterke beren, zei u? Dan heeft u aan mij alleen ook genoeg.'

'Hij wel...' snuift Hasna. 'Vorige week heb ik je met gym nog zo op de grond gelegd.'

'Dat deed ik uit medelijden,' zegt Tim. 'Omdat jij die dag een drie had gehaald.'

'O...' Iedereen begint te protesteren. 'Smijt hem op de grond, Hasna...'

Hasna wil Tim grijpen, maar die kruipt gauw weg achter de rug van Liza's vader. 'Kokkie, u moet me redden…'

'Jullie zijn een mooi stel,' lacht de vader van Liza. 'Ik denk dat ik de taken maar ga verdelen. Tim, Amber en Daniël maken de bodems. De rest snijdt de groenten. Wie straks niks meer te doen heeft, kan zich op de tomatensaus werpen.'

Een paar tellen later is iedereen druk aan het werk.

Jeroen maakt een paprika schoon en snijdt hem daarna in smalle reepjes. Tim observeert hem. 'Pas je wel op,' plaagt hij. 'Dit wordt een vegetarische pizza, hoor! Dat vingertopje dat vorige week in de soep dreef, was toch ook van jou?'

'Wat ben je toch een smeerlap!' De meisjes trekken een vies gezicht.

'Hij wil ons alleen misselijk maken,' zegt Thijs. 'Dan is de hele pizza voor hem, snap je?'

'Hè,' zucht Tim, 'waarom heeft Thijs mij nou altijd door…'

'Kijk eens.' Na een tijdje houdt Jeroen een plank met flinterdunne paprikareepjes onder Tims neus. 'Dat doe jij mij niet na, mannetje.'

'Nou, dat heb je inderdaad heel vakkundig gedaan,' prijst de vader van Liza. 'Je hebt talent, Jeroen.'

'Wie heeft hier talent?'

Zeven hoofden draaien zich verrast om. 'Meester!'

'Hallo, Gijs.' De meester geeft de vader van Liza een hand. 'Je kunt het niet laten, zie ik?'

'Ach,' lacht de vader van Liza. 'Je moet wat te doen hebben op je vrije middag.'

Dan ontdekt Erik de deegbodems. 'Hmmm… pizza.' Hij likt zijn lippen af. 'Wat een geluk dat mijn cursus niet doorging.' Hij gaat aan de tafel zitten en doet net of hij een menukaart leest. 'Wat voor pizza zal ik eens bestellen…'

'Niks bestellen. Werken voor de kost.' Liza haalt een koksmuts te voorschijn en drukt hem op Eriks hoofd. 'U mag de tomatensaus maken.'

'Kunt u wel koken, meester?' plaagt Daniël.

'Nee, natuurlijk niet,' zegt Erik. 'Mannen kunnen toch niet koken. '

'En mijn vader dan?' vraagt Liza.

'Dat is wat anders,' zegt de meester. 'Die is kok.'

'Mijn vader kookt ook vaak,' zegt Thijs.

'Mijn vader ook…'

'Hoe doet u dat dan?' vraagt Daniël. 'U moet toch eten? Of haalt u elke avond patat?'

'Wisten jullie dat niet?' zegt Tim. 'Hij eet elke avond bij zijn moeder. Ik hoor hem altijd in de pauze opbellen. Mammie, eten we pannenkoeken vanavond? Ah, mam, toe…?'

'Jaaa!' Nu beginnen ze allemaal te plagen. 'En hij brengt zijn was ook bij mammie. En ze houdt zijn huis schoon.'

'Dat is toch logisch,' zegt Erik. 'Mannen hoeven geen huishouden te doen. Dat is vrouwenwerk.' Hij geeft de vader van Liza stiekem een knipoog.

'O, wat een ouderwetse sukkel bent u, mees,' zegt Jeroen.

'Nee, hoor,' houdt meester Erik vol. 'Dat vind ik niet ouderwets. Verschil moet er zijn. Mannen zorgen voor het geld en vrouwen voor het huishouden.'

'En als u nou een vriendin krijgt?' vraagt Liza. 'Moet die dan haar baan opzeggen?'

'Als we gaan trouwen, wel,' zegt Erik doodleuk.

'Moet ze zich dan de hele dag vervelen?' vraagt Hasna.

'Niks vervelen,' zegt Erik. 'Ze moet ons huis goed schoonhouden. Van binnen en van buiten. En ze moet wassen en strijken. En mijn fiets oppoetsen. De permanent van de hond verzorgen. Het grind in de tuin ontsmetten. Het gras stofzuigen…'

'Ja ja…' De kinderen barsten in lachen uit. Het gras stofzuigen… Nu geloven ze hun meester niet meer. 'U neemt ons in de maling…'

De meester pakt een kommetje en begint aan de tomatensaus. 'Zo nu en dan moet ik even testen of ik jullie goed heb opgevoed.'

'Zie je wel dat u ons in de maling hebt genomen… Wat bent u toch een pestkop.' Ze gaan lachend door met hun werk.

Als de pizza's klaar zijn, zet de vader van Liza de bladen in de gloeiend hete oven. Hij kijkt op zijn horloge. 'Over een kwartiertje kunnen we eten. Dekken jullie intussen maar de tafel.'

'Jaaa!' Ze rennen al naar de kast en halen het tafelkleed eruit.

'Ik vul de karaf wel,' zegt Tim. 'Iedereen rode wijn?'

'Rode wijn?' Erik kijkt de vader van Liza verbaasd aan. 'Laat jij die kinderen rode wijn drinken?'

'Liters,' lacht Tim. En hij giet een fles cassis in de karaf leeg.

'O, zulke wijn,' lacht de meester. 'Excuseer me, ik moet even een boodschap doen.'

'Ja ja,' zegt Jeroen. 'Er stiekem tussenuit knijpen, hè?'

'Hij heeft de tomatensaus gemaakt, jongens. Hij weet wat erin zit…' plaagt Tim.

'Zo is het. Ik ga er snel vandoor. Voordat ik dat gif-mengsel voor mijn neus krijg. Tot morgen.' Erik steekt zijn tong naar hen uit en loopt weg. Maar Daniël en Liza versperren hem de weg. 'U mag er niet door. Eerst pizza eten.'

'Ik kom echt terug,' lacht Erik.

'Erewoord?'

Pas als Erik twee vingers omhoogsteekt, laten ze hem gaan.

'We moeten een grap met hem uithalen,' zegt Thijs. 'We leggen iets heel vies op zijn bord.'

'Ja!' Tim heeft al een idee. 'We snijden een klein stukje pizza af. En daar smeren we sambal op. En dan zeggen we dat hij als eerste mag proeven.'

'Ja, dat wordt lachen, jongens!' Ze wrijven van plezier in hun handen.

Na tien minuutjes stapt de meester binnen. Hij zet een grote doos op tafel. Als hij het deksel oplicht, gaat er een gejuich op.

'Italiaanse ijstaart… Daar zijn we dol op.' Hasna pakt de taart en zet hem in de koelkast.

'We kunnen zo aan tafel.' De vader van Liza draait de oven uit.

Jeroen en Daniël stoten Tim aan. 'Toe dan!'

'U mag eerst proeven, meester,' zegt Tim. 'Want u bent onze gast.'

'Ja, dat hoort zo,' vallen de anderen hem bij.

Terwijl Tim een stukje pizza met sambal insmeert, houden Hasna en Liza de meester aan de praat.

'Dat vind ik een hele eer,' zegt Erik als Tim het stukje pizza voor zijn neus legt. 'Maar ik laat het nog even af-koelen. Ik heb geen zin om mijn mond te branden.'

'Ja, het is wel heet…' waarschuwt Tim. 'Erg heet…'

Ze knijpen in elkaars hand om hun lachen in te hou-den. Vol spanning kijken ze naar hun meester die boven de pizza blaast. 'Nou, ik waag het erop.' Hij doet zijn mond open en stopt het stukje erin.

Op het moment dat hij erin bijt, wordt zijn hoofd knalrood. Hij wappert met zijn hand voor zijn mond, puft, blaast en maakt een rondedansje om de tafel.

Iedereen lacht hem uit. 'Dat komt ervan als je geen to-matensaus kunt maken,' zegt Daniël.

Daar trapt de meester niet in. Hij doorzoekt het keu-kentje en dan ontdekt hij het potje sambal. 'Dat komt niet door mijn tomatensaus… Wacht maar, ik zal jullie krijgen.' Hij grijpt het flesje. 'Allemaal een lekker stuk ijstaart met sambal? Slagroom is ouderwets. Tegen-woordig eet men heerlijke ijstaart met sambal.' Hij wil

de ijstaart pakken, maar de koelkast is al gebarrica-
deerd.
'Oké,' lacht de meester. 'Ik geef het op.'
Als iedereen zit, zetten Hasna en Liza twee bladen met
pizza op tafel.
'Lekker!' Ze houden allemaal hun bord bij.
'Proost, op jullie kookcafé,' zegt de meester.
'Proost.' Ze heffen hun glas, nemen een slok en begin-
nen dan meteen te eten.

De ontdekking

Het is alweer maandag. Precies een week geleden werd de geldkist gestolen. Maar niemand heeft het nog gemerkt.

'Nog vier weken, meester,' zegt Daniël, 'en dan gaan we op schoolreis.'

'Ja, jongens.' De meester wrijft in zijn handen. 'Ik ben al druk bezig met mijn spookverhaal.'

'Spannend!' De kinderen weten hoe goed hun meester kan vertellen.

Thijs steekt zijn vinger op. 'Doen we dan alle lichten uit?'

'Jááá…!' De kinderen beginnen te joelen.

'U moet het heel griezelig maken, mees,' zegt Hasna.

'Reken maar,' lacht Erik. 'Gisteravond heb ik een stukje verzonnen. Het was zo eng, dat ik zelf niet meer naar bed durfde. Ik heb de hele nacht het licht aan gelaten.'

Iedereen schiet in de lach.

'Jij kent toch ook een heel griezelig verhaal, Tim?' vraagt meester Erik.

'Het is nacht…' begint Tim met ijzingwekkende stem.

'Het kerkhof is donker en verlaten… Om de pikdonkere graven huilt angstaanjagend de wind. De torenklok van het verlaten kerkje begint te slaan. Bij de twaalfde slag klinkt er een eng gekraak. Kgggg… Kgggggg… De deksels van de doodskisten gaan langzaam omhoog…'

'Verder…!' griezelt de klas. Maar meester Erik kapt het af. 'Bewaar de rest van je verhaal maar tot het schoolreisje, Tim, dat is veel leuker. O ja, over het schoolreisje gesproken, ik moet deze week het geld binnen hebben.'

De geldkist… flitst het door Jeroen heen. Hij volgt met ingehouden adem elke handeling van zijn meester. Nietsvermoedend trekt de meester de la open. Terwijl Jeroen met een rood hoofd achter zijn tafel zit, kijkt Erik met een bleek gezicht de klas in. Jeroen slaat gauw zijn ogen neer.

'Jongens.' De meester schraapt een paar keer zijn keel voor hij verdergaat. 'Heeft iemand soms een grap uitgehaald?'

'Wat voor grap?' vraagt Siep.

'Het geldkistje is weg,' zegt Erik.

'Het geldkistje? Met het geld van ons schoolreisje erin?'

De meester knikt.

'Welke vuile dief heeft onze poen gejat?' roept Siep kwaad.

'We moeten de politie bellen,' vindt Monique.

Van opwinding gaan sommige leerlingen staan. Anderen rennen naar de la om te kijken of het echt waar is. De kinderen doorzoeken de hele klas. Jeroen weet niet waar hij moet kijken.

Als het geldkistje na een paar minuten niet terecht is, begint iedereen door elkaar te schreeuwen. 'Die vuile dief moeten ze grijpen.'

'Laten we nog niet meteen denken dat het is gestolen,' probeert Erik de kinderen te sussen. 'Misschien heeft meneer Van Dam het wel mee naar huis genomen.'

Ze kijken Jeroen aan.

'Dat kan toch best,' zegt Amber. 'Jouw vader kan het toch mee naar huis hebben genomen?'

Jeroen kijkt in de hoopvolle ogen van zijn klasgenoten.

'Het kan toch…' dringt Daniël aan.

Jeroen haalt diep adem. 'Misschien wel,' stamelt hij.

'Ik zal het hem wel even vragen,' zegt Erik. Zodra de meester de klas verlaat, barst er een verontwaardigd geschreeuw los.

'Ze moeten een alarm kopen… Het is nou al de derde keer dit jaar dat er is ingebroken… Ze moeten tralies achter het pleeraampje maken. Wedden dat die boef daardoorheen is gekropen?' Als Jeroens vader één voet in de klas zet, is het op slag doodstil.

'Hier stond-ie.' De meester schuift de la open.

Meneer Van Dam haalt zijn bril van zijn neus. Hij kijkt Erik aan. 'En dat weet je zeker? Je hebt het niet per ongeluk, samen met andere spullen, mee naar huis genomen?'

'Absoluut niet,' zegt Erik. 'Trouwens, dat ding is loodzwaar. Dacht u dat ik dat niet zou hebben gemerkt?'

'Wanneer heb je het voor het laatst gezien?' wil Van Dam weten.

De meester denkt na. 'Twee weken geleden, op een donderdagmiddag, heb ik er voor het laatst geld in opgeborgen.'

De vader van Jeroen zet zijn bril weer op. 'Een heel vervelende zaak.'

'U moet de politie bellen,' schreeuwt Liza door de klas.

'Ja!' valt Tim haar bij. 'Misschien krijgen ze die boef te pakken.'

Meneer Van Dam draait zich verontwaardigd om naar de klas. 'Ik dacht niet dat jullie iets werd gevraagd.' Dan richt hij zich weer tot Erik. 'We zullen eerst moeten nagaan hoe de mogelijke inbrekers de school zijn binnengedrongen.'

Jeroen breekt van de zenuwen zijn gum doormidden.

Zijn vader schraapt een paar keer zijn keel. 'Het bestuur zal niet blij zijn met dit bericht.' Hij kijkt op zijn horloge. 'Ik zal ze maar meteen opbellen.' Zonder Erik te groeten, loopt hij weg.

'Nou, jongens, dat is niet zo mooi.' Erik gaat verslagen achter zijn bureau zitten.

Jeroen voelt zich doodongelukkig. Had hij die avond maar eerlijk verteld wat er was gebeurd. Maar daar hoeft hij nu niet meer mee aan te komen. Als zijn vader nu nog te horen krijgt dat het allemaal zijn schuld is, dan… dan zit hij morgen nog op een internaat, wedden?

'Als we het geld niet terugvinden, meester,' vraagt Hasna, 'gaan we dan niet op schoolreis?'

Voordat de meester antwoord kan geven, barst er een

verontwaardigd geschreeuw los. 'Dat moeten ze wagen... We hebben toch betaald...?'

'Wat kan de school daar nou aan doen...?' vinden Daniël en Amber.

'Natuurlijk wel,' schreeuwen Siep en Marijn. 'Moeten ze maar zorgen dat ze geen dieven toelaten.'

'Nou ja...' Dit is het stomste wat Daniël ooit heeft gehoord.

Ze krijgen er bijna ruzie over.

De rest van de morgen wordt er alleen maar over de diefstal gepraat. Jeroen zit stilletjes achter zijn tafel. Hij is blij als eindelijk de bel gaat.

Het bericht

Als Jeroen de volgende morgen het schoolplein op komt, staat Tim bij het hek. Maar dit keer maakt hij geen grapjes. 'Doorlopen naar het fietsenhok,' zegt hij. Jeroen kijkt zijn vriend verbaasd aan. Hij heeft Tim nog nooit zo ernstig gezien.

Jeroen is niet de enige die naar het fietsenhok wordt gestuurd. Hun hele groepje staat er te wachten.

'Wie ontbreken er nog, jongens?' Daniël kijkt de kring rond.

'Alleen Liza,' zegt Hasna. 'Maar die komt meestal te laat.' Ze wenkt Tim dat hij kan komen.

'Wat is er nou eigenlijk aan de hand?' vraagt Amber.

'Ja, dat willen wij ook wel eens weten…'

Thijs gebaart dat ze een beetje dichterbij moeten komen. 'Niet de hele school hoeft te horen wat ik jullie heb te zeggen. Luister,' zegt hij plechtig. 'Mijn pa is voorzitter van het schoolbestuur.'

Er klinkt gemompel. 'Ja, hèhè, alsof wij dat nog niet wisten.'

'Nou, eh… gisteravond kwam de penningmeester bij ons op bezoek. Van Driel heet hij. Ik ging gewoon naar bed. Maar na een tijdje bedacht ik dat mijn dictee-schrift nog in de kamer lag. Ik wou het in bed nog even doorkijken. Toen ik beneden kwam, hoorde ik mijn vader met die Van Driel over de diefstal praten.'

'Niet zo vreemd,' zegt Daniël.

Thijs knikt. 'Heel logisch, dat vond ik ook. Ze hadden het erover dat de politie alles is nagelopen. Nergens hebben ze een kapotte ruit gevonden. Weten jullie nog dat ze vorige keer door het wc-raampje waren ge-klommen? Nou, dat zat nu op slot. En de deur is ook niet geforceerd.'

'Bedoel je daarmee dat er niet is ingebroken?' vraagt Amber.

Thijs knikt. 'Ze hebben nergens een spoor van braak kunnen ontdekken.'

'Dan moet het dus iemand van onze eigen school zijn geweest,' zegt Liza.

Wat erg…! Jeroen slaat zijn ogen neer. Zo meteen wordt er iemand vals beschuldigd, alleen maar omdat hij het niet durft te vertellen…

'Heb jij er thuis niks over gehoord?' Thijs kijkt Jeroen aan.

'Eh… nee, nee niks,' stamelt Jeroen.

'Ik stel voor dat wij de dader opsporen en hem vervol-gens ontmaskeren,' zegt Thijs gewichtig.

'Aha, inspecteur Morse aan het woord, jongens,' lacht Tim.

'Volgens mij is het iemand uit onze klas,' zegt Daniël. 'Tenslotte zijn wij de enigen die weten dat het kistje daar stond.'

'Wat weten wij als enigen?' Liza smijt haar rugtas op de grond.

'Dat vertel ik je zo wel,' zegt Amber. 'Er is namelijk niet ingebroken.'

'Wat denken jullie ervan om vanavond een geheime vergadering te beleggen?' Thijs kijkt de kring rond.

'Cool,' zegt Tim.

'Als we nou om zeven uur bij mij in het tuinhuis afspreken,' zegt Liza.

'Je weet niet eens waar het over gaat,' lacht Tim.

'Ik snap het allang, hoor,' zegt Liza. 'Dat jij daar nou jaren voor nodig hebt. Jullie denken dat iemand uit onze klas het heeft gedaan. Kom op, de bel. Ik heb geen zin om na te blijven.'

Het is bepaald niet gezellig in de klas. Meester Erik is uit zijn humeur. Trouwens, alle juffen en meesters lopen met een bezorgd gezicht rond.

'Gaat het schoolreisje nog wel door, meester?' vraagt Amber.

'Daar kan ik nog niks over zeggen,' antwoordt Erik. 'We moeten afwachten of het bestuur bereid is het geld te vergoeden. Tenslotte kunnen we nu niets op de verzekering verhalen.'

'Mooi dat wij die dief vinden,' zegt Tim.

'Jullie?' vraagt Erik.

'Ja, wij laten het er niet bij zitten,' zegt Liza. 'Zo meteen is het iemand uit onze klas. Nou, gezellig zeg.'

'Dat is nou juist het vervelende van de situatie.' Erik

kijkt de kinderen aan. 'Nu gaat iedereen elkaar verdenken. Ik heb bijvoorbeeld net een nieuwe racefiets gekocht. Zo meteen denken jullie nog dat ík het geld heb gepikt.'

Nu beginnen de kinderen te joelen. Dat meester Erik het geld zou hebben gepikt… nee, dat gelooft niemand.

'Daarom wil ik dat jullie voorzichtig zijn,' zegt Erik. 'Ik vind dit een zeer onaangename situatie. Ik ga er niet van uit dat iemand uit deze klas zoiets doet. Wij moeten ons er verder niet mee bezighouden. Dat doet de politie maar. Wij gaan gewoon aan het werk.'

Erik deelt de taalschriften uit. Ze moeten een heel moeilijke taaltoets maken. Dat is even een tegenvaller! Ze hadden erop gerekend weer de hele ochtend over de diefstal te praten.

'Dus onze geheime vergadering gaat toch door?' vraagt Thijs in de pauze.

'Natuurlijk,' zegt Liza. 'Als we de dader hebben, is Erik hartstikke blij.'

'Wie komen er nou allemaal vanavond?' wil Thijs weten.

Liza, Amber, Hasna, Daniël en Tim steken hun vinger op.

'Jij toch ook?' Amber stoot Jeroen aan.

'O, eh…' Jeroen probeert een smoes te verzinnen om eronderuit te komen. Maar er schiet hem zo gauw niks te binnen.

'Kun je nou wel of kun je niet?' dringt Thijs aan.

'Ja, eh…' stamelt Jeroen. 'Ik denk dat ik wel kan.'

'Wat is dat nou voor vaags?' vraagt Thijs geërgerd. 'Je komt of je komt niet.'

'Nou nou,' zegt Jeroen, 'rustig maar, hoor. Ik kom heus wel.'

'Thijs kan zijn hobby eindelijk uitleven,' zegt Amber. 'Hoe veel boeken over inspecteur Morse heb je ook alweer gelezen?'

'Minstens tien,' zegt Thijs. 'Ik zorg wel voor pen en papier. We zullen toch aantekeningen moeten maken. Eerst zetten we de namen van alle hoofdverdachten onder elkaar.'

'Hoofdverdachten?' vraagt Jeroen verschrikt.

'Ja, dat leg ik vanavond wel uit.' Thijs raapt een bal op die zijn kant op rolt. 'Aha, bedankt. Niet gek zo'n leren bal.' Hij doet of hij hem wil houden.

'Pestkop,' zegt Liza. 'Geef die bal terug aan die kleintjes.'

'Niks ervan.' Thijs loopt ermee weg.

'Goed dat we dit van je zien,' pest Amber.

'Ja, het is verdacht,' zegt Liza.

'Wat nou verdacht?' Thijs schopt de bal terug en grijpt naar Liza's staart. 'Hoe kom jij ineens aan dat mooie ringetje?'

'Van mijn liefje gekregen.' Liza geeft Tim een zoen.

'Ahum…' Thijs krabt op zijn hoofd. 'Kun je dat bewijzen?' vraagt hij gewichtig.

'Ja,' zegt Liza. 'Ik heb nog veel meer van je gekregen, hè,

schattie? Een nieuwe cd-speler en een walkman. Lief van hem, hè? Ik weet ook niet hoe Timmy ineens aan zoveel geld komt.'

'Waar probeer jij mij van te beschuldigen?' Tim pakt een spin van het hek en houdt hem boven Liza's nek.

'Help…! Nergens van!' gilt Liza. 'Tim is een heel eerlijke jongen!'

'Alleen maar eerlijk?' Tim trekt Liza's kraag naar voren.

'Neeee…!' gilt Liza. 'Haal dat enge beest weg… Tim is een kanjer… een lekker ding…!'

'Mooi zo.' Tim zet de spin terug.

Ontvoerd

Als Jeroen de voordeur opendoet, springt Saar kwispelstaartend tegen hem op.

'Ja, we gaan uit.' Jeroen pakt de riem van de kapstok en
doet Saar de halsband om.

'O, Jeroen,' zegt zijn moeder. 'Je moet even voor mij
langs de slager. Ik wil vanavond koteletjes grillen. Maar
toen ik vanmiddag bij hem was, had hij nog geen
lamsvlees. Om drie uur zou het klaar liggen.'

'Geef maar geld.' Jeroen houdt zijn hand op.

'Het is al betaald. Je kunt het zo meenemen.'

'Oké.' Terwijl Saar vrolijk aan de riem naast hem hup-
pelt, loopt Jeroen de straat uit. Wat zal hij doen? Eerst
naar het park of eerst langs de slager? Hij kijkt Saar aan.
'Jij wilt zeker eerst naar de slager. Ja, lekker een plakje
worst smikkelen, hè?' Jeroen steekt de straat over. Als
hij de winkelstraat in loopt, let hij niet op de drie
brommers die de hoek om komen. Maar de jongen op
de voorste brommer herkent Jeroen en waarschuwt de
anderen.

'Krijg nou wat!' Ze zetten hun brommers af en bespieden Jeroen.

'Wacht even, Saar,' zegt Jeroen als ze voor de slagerij staan. 'Jij mag hier niet in.' Hij knoopt de riem om een ijzeren haak die aan de muur vastzit en gaat naar binnen. Volgens zijn moeder kon hij het vlees zo meenemen, maar dat valt flink tegen. De winkel staat propvol.

Eindelijk is Jeroen aan de beurt. 'Aha, ik weet al waarvoor jij komt.' De slager legt het vlees op de toonbank. 'Een plakje worst?'

'Alstublieft.' Jeroen stopt het vlees in zijn zak. Met het plakje worst in zijn hand loopt hij naar buiten.

'Kijk eens, Saar…' Hij houdt het plakje worst omhoog, maar laat het van schrik bijna vallen. De haak aan de muur is leeg!

'Saartje!' Jeroen tuurt de straat af. Saar is nergens te bekennen. Vreemd, Saar loopt nooit weg. Of zou ze achter een poes aan zijn gegaan?

'Saar…!' Jeroen rent het dichtstbijzijnde steegje in. 'Saartje…!' Hij gluurt de tuintjes in.

Halverwege de steeg wordt hij bij zijn arm gegrepen en een soort loods in getrokken.

'Zoek je je hondje?' Hij kijkt in het gezicht van de Kale. Achter hem staan de Beer en de Gluiperd met Saar tussen hen in.

'Geef hier! Geef mijn hond hier!' Jeroen wil de riem uit hun hand rukken, maar daar krijgt hij geen kans voor. Zodra hij een voet verzet, heeft hij een trap tegen zijn schenen te pakken.

'Afblijven.' De Beer grijpt hem vast. 'Dat hondje is nu van ons.'

'Wát…' Jeroen rukt zich los en draait zich woedend om. 'Ik ga naar de politie. Voor mijn part slaan jullie me halfdood. Maar van mijn hond blijven jullie af…!' Hij rent de loods uit.

'Dat lijkt me niet verstandig, mannetje,' roept de Kale hem na. 'Als je naar de politie gaat, zie je dat misbaksel nooit meer terug. Niet levend tenminste.'

Jeroen staat onmiddellijk stil, keert om en loopt terug naar de bende. 'Zeg maar wat ik moet doen,' zegt hij kalm.

'Dat is verstandige taal.' De Kale klopt Jeroen op zijn schouder. 'Zo kunnen we praten.' Even tuurt hij om zich heen of de kust veilig is. Dan wijst hij op zijn horloge. 'Het is nu precies halfvijf. Wij hebben poen nodig. Twintig euro. Binnen een halfuur ben jij op het landje achter de Kneppelbrug. Bij die groene bouwkeet. Weet je waar dat is?'

Jeroen knikt. Daar heeft hij wel eens gevoetbald.

'Mooi zo, daar wachten we op je.'

De Beer drukt zijn vuist tegen Jeroens kin. 'Denk erom, als je er om halfzes nog niet bent, verzuipen we je hond, begrepen?' Hij geeft een rukje aan de riem. 'Kom op, scharminkel, straks komt je baasje je halen. Tenminste, als hij verstandig is. Zo niet, dan ben je om één minuut over halfzes in de hemel.' Met Saar tussen hen in steken ze de straat over.

Jeroen kijkt zijn hond na. Hij moet haar zo snel mogelijk terug hebben. Maar waar haalt hij zo gauw twintig euro vandaan? Hij denkt aan het geld van zijn verjaardag. Hij had dertig euro gekregen om voor noren te sparen. Als hij die twintig euro weggeeft, redt hij het nooit voor de winter begint. Maar Saar is natuurlijk belangrijker. Hij kijkt op zijn horloge. Het is vijf over halfvijf. Als hij haar wil redden, mag hij wel opschieten. Hij steekt de winkelstraat over en rent naar huis.

'Ben je er nou al?' vraagt zijn moeder als Jeroen het vlees op het aanrecht legt.

'Ik moest ineens heel nodig naar de wc,' verzint Jeroen. 'Saar wacht buiten. We gaan zo naar het park.' En hij vlucht de keuken uit naar boven, pakt zijn spaarpot van de plank en maakt hem open. Een paar tellen later houdt hij twee briefjes van vijf en een van tien in zijn hand. Jeroen zucht.

Zodra zijn vader tijd had, zouden ze op zoek gaan naar noren. Hoe moet hij zich daar nou weer uit redden? Nou ja, dat ziet hij dan wel weer. Nu moet hij Saar zo snel mogelijk bevrijden.

Hij stopt het geld in zijn broekzak en rent de trap af.

'Tot zo.' Hij schiet langs zijn moeder de keuken uit.

Buiten kijkt hij op zijn horloge. Inmiddels is het tien voor vijf. Als hij opschiet, kan hij nog op tijd komen. Het landje is niet ver.

Aan het eind van de straat ziet hij de brug al. Jeroen holt ernaartoe. Dan ziet hij tot zijn schrik dat de hekken van de brug dichtgaan. Hij neemt een spurt. Misschien kan hij onder de hekken door glippen. Maar als hij aankomt, gaat de brug al omhoog. Hij tuurt het water in.

Er liggen gelukkig maar twee boten langs de kade. Dat kan nooit erg lang duren. Hij kijkt op zijn horloge. Het is al bijna vijf uur. Dat heb je nou met zo'n rotbrug. Altijd als je haast hebt, gaat dat ding omhoog.

Hij kíjkt de eerste boot zowat onder de brug door. 'Nou, schipper, schiet op,' mompelt hij.

Het is vijf over vijf als de tweede boot onder de brug door vaart. Als die brugwachter nou een beetje opschiet… Terwijl hij ongeduldig op het hek trommelt, houdt hij de brug in de gaten, maar die gaat niet omlaag. Zou er nog een boot door moeten?

Hij tuurt zenuwachtig het water af. Maar er is geen boot te bekennen.

Jeroen is niet de enige die ongeduldig wordt. Portieren gaan open en sommige automobilisten stappen uit om te kijken wat er aan de hand is.

'Nou, brugwachter,' moppert een vrachtwagenchauffeur, 'ben je in slaap gevallen?'

Tot zijn schrik ziet Jeroen dat het al kwart over vijf is. Als de brug niet snel omlaaggaat, redt hij het niet meer. Hèhè, daar heb je de brugwachter. Jeroen wil hem aanspreken, maar een taxichauffeur is hem voor. 'Hoe zit het?'

'U zult nog even geduld moeten hebben,' zegt de brugwachter. 'De brug weigert. Dat is al de tweede keer vandaag. Er wordt aan gewerkt.'

Wáááát…? De brug weigert… Het zweet breekt Jeroen uit. Hij moet naar Saar… Als hij over tien minuten niet bij de bouwkeet is, verdrinken ze zijn hond…

Jeroen kijkt paniekerig naar de brug. Hij overweegt even over het hek te springen en naar de overkant te zwemmen. Maar dat redt hij nooit. De walkant is veel te hoog.

'Zo te zien kan dit nog uren duren,' zegt een man met een grijze regenjas. 'Mij kunnen ze wat. Ik rij vlugger om.'

Jeroen ziet Saar voor zich, bij de waterkant, met stenen om haar nek… Zonder een seconde te aarzelen rent hij de regenjas achterna.

'Mag ik misschien met u meerijden? Ik moet om half-zes bij de bouwkeet zijn. Een houten gebouwtje, hier vlakbij, op het landje achter de brug.'

De man kijkt op zijn horloge. 'Halfzes? Dan mag je wel voortmaken, jongen. Nou, stap maar in.' Hij start zijn auto en verlaat de rij.

Jeroen zit op het puntje van zijn stoel. Hij heeft nog vijf minuten. Hij kijkt naar een stoplicht in de verte. Spring niet op rood… smeekt hij, spring alsjeblieft niet op rood…

'Je doet net of je het vliegtuig moet halen,' zegt de chauffeur. 'Waarom heb je zo'n haast?'

Jeroen trekt zenuwachtig aan zijn haar. 'Mijn, eh… mijn kleine zusje wacht daar op me. Achter die bouw-keet is een sloot. Als ik niet op tijd ben, valt ze er mis-schien in. Ze kan niet zwemmen.'

'Nou, dat is ook een riskante boel.' De man rijdt de brug over, slaat links af, rijdt een poosje rechtdoor en stopt bij het landje.

'Kijk eens, het is precies één minuut voor halfzes. Ga maar gauw.'

'Bedankt.' Jeroen gooit het portier open en vliegt het terrein op.

Hij komt hijgend bij de bouwkeet aan.

Wat…? Zijn hart staat stil. Ze zijn er niet meer… Ze zijn al weg…!!!

'Saar…' Jeroen barst in snikken uit.

'Kun jij geen klokkijken?' Drie hoofden steken uit de bosjes.

'Waar is Saar?' Jeroen stuift op de bende af.

'Eerst de poen.' De Kale houdt zijn hand op.

Jeroen legt de twee briefjes erin. 'Waar is ze… Waar is mijn hond?'

De Gluiperd wijst naar de struiken. 'Ik hoop voor je dat ze nog leeft.' Hij wenkt de anderen dat ze moeten vertrekken.

Jeroen vliegt de bosjes in. 'Saar… Saartje!' Terwijl hij zijn handen en zijn gezicht aan de prikkels schaaft, denkt hij maar aan één ding… Hij moet zijn hond terug.

Ineens hoort hij een bekend blafje. Achter de struiken staat Saar, vastgebonden aan een boom.

Jeroen valt zijn hond huilend om de hals. 'Saar… Mijn lieve Saartje… '

Saar gaat kwispelstaartend op haar rug liggen.

Met trillende vingers maakt Jeroen de riem los. Nu moet hij het toch echt tegen zijn ouders vertellen. Anders grijpen ze Saar morgen weer.

Als hij langs de bouwkeet komt, wordt hij ingesloten door twee brommers. De Kale gaat voor hem staan en trekt zijn mes. Dan grijpt hij vliegensvlug de kop van Saar en houdt het mes tegen haar keel.

'Je bent gewaarschuwd, schijthuis. Eén woord, en je hond gaat er alsnog aan.'

Dan stapt ook hij op zijn brommer en met knetterend lawaai rijden ze weg.

Ontleden

Een beetje stilletjes zit Jeroen aan tafel. Hij ziet voortdurend het mes van de Kale voor zich. Met moeite krijgt hij zijn bord leeg. Zijn vader merkt gelukkig niks van zijn getreuzel. Die is aan één stuk door aan het woord. Jeroen vindt het allang best. Zolang zijn vader praat, heeft hij tenminste geen last van hem.

Vorige week had Jeroen een onvoldoende voor rekenen. Tijdens de lunch kreeg hij ineens de hagelslag in zijn handen geduwd.

'Wat is de inhoud van dit doosje?' vroeg zijn vader.

'Pure chocola,' zei Jeroen voor de grap. 'Maar melk vind ik lekkerder.'

Zijn vader gaf zo'n harde klap op tafel dat het doosje omviel. Het ging natuurlijk weer om lengte maal breedte maal hoogte. Ja hoor…

'Het heeft me heerlijk gesmaakt.' Jeroens vader wrijft over zijn buik. 'Je hebt je vandaag weer verdienstelijk gemaakt, Marga.' Hij kijkt Jeroen aan. 'En wat heb jij gepresteerd op school, jongen?'

'We hadden een taaltoets,' zegt Jeroen. 'We moesten ontleden.'

'En?'

'Het ging wel,' antwoordt Jeroen. 'Mag ik alsjeblieft van tafel?' vraagt hij gauw. 'We hebben vanavond afgesproken in het tuinhuis bij Liza.'

Zijn vader fronst zijn wenkbrauwen. 'Herhaal die zin eens?'

Jeroen dreunt de zin nogmaals op. 'We hebben vanavond afgesproken in het tuinhuis bij Liza.'

'Wat is de bijwoordelijke bepaling van deze zin?' vraagt zijn vader.

Jeroen verbijt zich. Wat is het toch heerlijk een vader te hebben die onderwijzer is.

'Nou? Zo moeilijk is het toch niet?' Zijn vader tikt ongeduldig met de achterkant van zijn mes op tafel.

'Eh…' stamelt Jeroen.

'Aan "eh" heb ik niks,' klinkt het geërgerd.

'In het tuinhuis,' gokt Jeroen.

'Juist. En hoe noem je die bijwoordelijke bepaling?'

Jeroen kijkt hem verbaasd aan. 'Dat hebben we nog niet gehad.'

'Nog niet gehad?' roept zijn vader verontwaardigd uit. 'Dat had je allang moeten weten. Ik spreek Erik er morgen meteen over aan. Het is een bijwoordelijke bepaling van plaats. De tuin geeft namelijk de plaats aan.'

Jeroen knikt. 'Ik snap het.'

'Nou, schiet maar op.' Zijn vader tikt op zijn horloge. 'En je weet je tijd.'

Veel vroeger dan afgesproken fietst Jeroen Ambers kant op. Hij heeft besloten Amber alles te vertellen.

Als hij het tuinhek opendoet, zit Amber gehurkt naast haar fiets.

'Moet je mijn fiets zien.'

Jeroen kijkt naar de kapotte jasbeschermer. En de draadjes van het licht hangen ook los.

'Wie heeft dat gedaan?'

'Mijn moeder,' antwoordt Amber. 'Toen ik uit school kwam, ontdekte ik haar drankvoorraad. Ik was er helemaal niet naar op zoek, maar ik zocht de wasbenzine. Toen ik het kastje in de schuur opendeed, zag ik een rij flessen staan. Ik heb ze meteen verstopt. Ik wilde het jou vertellen. Vlak voor ik wegreed, ontdekte ze het. Ze was razend. We kregen heel erge ruzie. Ik moest zeggen waar ik de flessen had verstopt. Dat deed ik natuurlijk niet. Toen gaf ze een trap tegen mijn fiets. Nou, je ziet het. Dwars door mijn jasbeschermer. En toen trok ze met haar dronken kop ook nog mijn licht kapot.'

Jeroen ziet aan Ambers gezicht dat het ergste nog moet komen.

'En toen?'

Amber prutst aan haar bel. 'Toen eh… toen reed ze weg.'

'Met de auto?' vraagt Jeroen.

Amber knikt.

'En je zou de autosleutels verstoppen?'

'Ja, begin jij ook nog even! Alsof ik er wat aan kan doen. Ze had nog ergens een reservesleutel.'

'Help! Wie denkt daar nou aan!' Jeroen slaat zijn vuist tegen zijn voorhoofd.

'Ik blijf thuis tot ze er is,' zegt Amber. 'Ik ga nu niet weg.'

'Maar dan mis je de vergadering,' zegt Jeroen.

Amber haalt haar schouders op. 'Dat is dan pech.'

'Als ik jou was, zou ik gewoon gaan,' zegt Jeroen. 'Je fokt je hier alleen maar op. Je kan toch bij Liza even opbellen?'

Dat vindt Amber niet zo'n gek idee. 'Goed, ik ga mee. Even mijn gezicht onder de kraan houden. Niet iedereen hoeft te zien dat ik heb gehuild.'

Jeroen loopt achter Amber aan naar binnen. Bij Amber thuis is het wel vaker een rommeltje. Maar hoe het er nu uitziet! Het aanrecht staat vol afwas. En de kamer is ook een puinhoop.

'Gezellig hier, hè? Mijn moeder doet zowat niks meer. En ik ben ook niet van plan om alles achter haar kont op te ruimen. Ik laat het lekker liggen tot mijn vader thuiskomt. Dan kan hij zien hoe goed het hier gaat.' Amber slikt een paar keer om haar tranen weg te werken.

'Weet je vader het nou al?' vraagt Jeroen als ze naar buiten lopen.

'Nee, ik wilde hem gisteravond een fax sturen. Maar ik was veel te kwaad. Toen heb ik mijn brief verscheurd.'

'Voor je vader is het ook hartstikke rot,' zegt Jeroen. 'En dan krijgt hij ook nog eens een boze brief van jou.'

'Ja, hij is zielig, nou goed,' snauwt Amber. 'Hij kan heus wel wat kortere vluchten nemen.'

'Alleen omdat je moeder te veel drinkt zeker?' zegt Jeroen.
'Nee, voor mij. Zo laat hij mij toch ook stikken? Of niet
soms?' vraagt Amber fel.
'Ja, daar heb je wel gelijk in.' Voordat ze ruzie krijgen,
rijdt Jeroen zijn fiets de stoep af. 'Kom op, we gaan.'

De aanrijding

'Hierbij verklaar ik de vergadering voor geopend.' Thijs geeft een klap met de hamer op tafel.

'Hasna is er nog niet,' zegt Amber.

Thijs wijst op zijn horloge. 'Het is zeven uur. Afspraak is afspraak.'

'Nou, kom maar op, inspecteur Morse.' Liza zakt onderuit op haar stoel.

Thijs zuigt op zijn pen. 'Ik heb vanmiddag al enkele belangrijke feiten onder elkaar gezet.' Hij slaat gewichtig zijn schrift open. 'Er is niet ingebroken. Dat is zeker. Het geldkistje stond in onze klas. Het kan dat iemand van school het uit onze klas heeft gepikt. Dat moet dan in de pauze zijn gebeurd.'

'Of om halfvier,' zegt Tim.

'Die kans is heel klein,' denkt Thijs. 'Meester Erik gaat meestal als laatste van school weg.'

'Ja, dat is zo.' Dat weten de anderen ook.

'Luister,' zegt Thijs. 'Wie wisten allemaal dat het geldkistje in meesters kast stond?'

'In ieder geval iedereen uit onze klas,' zegt Liza.

'Juist. Daarom zijn wij allemaal hoofdverdachten.

Maar...' Thijs krabt op zijn hoofd, 'er is nog een moge-
lijkheid. Iemand kan met de sleutel zijn binnengeko-
men. In ieder geval heeft Jeroens vader een sleutel van
de school, dat weten we allemaal.'

'Nou, Jeroen,' lacht Tim, 'denk eens na. Heeft je pa van
de week soms ineens een reisje naar de Bahama's ge-
boekt?'

Iedereen schiet in de lach. Jeroens ouders en de Bahama's... Ze komen nooit verder dan hun caravan op de
Veluwe.

'Ik denk niet dat mijn vader het zou overleven,' lacht
Jeroen.

'Geen grapjes, jongens.' Thijs geeft een klap met de hamer op tafel. 'Dit is een ernstige zaak. Ik snap ook wel
dat de vader van Jeroen het geldkistje niet heeft gestolen. Maar het kan toch dat hij zijn sleutel heeft uitge-
leend?'

Thijs staat op. 'Daarom ga ik hem nu opbellen.'

Wáááát...? Jeroen zakt zowat door zijn stoel van schrik.
Gaan ze zijn vader opbellen... Maar dan horen ze dat
hij die maandagavond alleen in school was...

'Wacht...' In twee stappen staat hij naast Thijs. 'Jij hoeft
niet te bellen. Dat kan ik beter doen. Het is mijn vader...'

'Graag,' zegt Thijs. 'Zo gezellig is hij niet.'

'Weet je waar de telefoon staat?' vraagt Liza. 'Mijn ouders zijn er namelijk niet. Ik loop wel even met je mee.'

'Dan kan ik mooi even piesen.' En Thijs gaat achter Jeroen en Liza aan.

'Hoe vind je mijn moeders nieuwste kunstwerk?' vraagt Liza.

'Gaaf,' zegt Jeroen. 'Vooral die felle kleuren.'

'Dit vind ik haar mooiste.' Liza laat Jeroen nog een schilderij zien. Daarna wijst ze naar de ladekast. 'Daar staat de telefoon.'

Jeroen neemt de hoorn van de haak. Hij toetst het nummer in. Zodra Liza haar blik afwendt, drukt hij de telefoon gauw in. Hij ziet niet dat Thijs net zijn hoofd om de deur steekt.

'Hoi, pap. Wij vragen ons af of iemand de laatste tijd de sleutel van de school heeft geleend. Of er soms een ouder in de school is geweest. Wat zeg je? Helemaal niemand? Oké, ik geef het door.' Jeroen legt de hoorn op de haak.

Als hij het tuinhuis in komt, kijkt iedereen hem aan.

'En?'

'Niemand,' zegt Jeroen. 'Er is helemaal niemand in school geweest.'

'Nou, dat weten we dan, hè?' Thijs maakt een aantekening in zijn schrift.

'Wat gek,' zegt Liza ineens. 'Hasna is er nog steeds niet. Zou ze het vergeten zijn?'

'Bel haar maar even op,' zegt Amber.

Liza gaat naar binnen.

Na een poosje komt ze met een verschrikt gezicht het tuinhuis in. 'Hasna is aangereden.'

'Wáááát…?'

'Ik had haar broer aan de lijn. Hij vertelde dat Hasna

naar het ziekenhuis is. Hij denkt dat ze vanavond nog wordt thuisgebracht. En anders morgenochtend. Ze heeft haar been gebroken en een lichte hersenschudding.'

'Hoe kwam het?' vraagt Jeroen.

'Dat wist haar broer niet precies. Ze lag ineens op de grond. Die schoft is gewoon doorgereden. Ze heeft hartstikke geluk gehad. Van haar fiets is niks over.'

'Heeft ze het nummer opgenomen?' vraagt Daniël.

'Hoe kan dat nou als je midden op straat ligt? Ze wist alleen dat het een blauwe auto was.'

Een blauwe auto…?

Amber wordt spierwit. 'Ik eh… ik voel me niet lekker. Ik ga naar huis…'

'Ik breng je wel even.' Jeroen loopt achter zijn vriendin aan.

'Er gebeuren hier vreemde dingen,' zegt Thijs. 'Heel vreemde dingen.'

'Wat bedoel je?'

'Waarom moeten die twee ineens weg? En waarom drukt Jeroen de telefoon in als hij moet vragen of er iemand in school is geweest?'

'Deed-ie dat dan?' vraagt Tim.

Thijs knikt. 'Ik zag het toevallig. Hij heeft dus iets te verbergen. En wat-ie te verbergen heeft, zullen we nu eens gaan uitvissen.'

'Ga jij maar terug naar de vergadering,' zegt Amber als Jeroen zijn fiets de tuin in rijdt.

'Wil je echt niet dat ik met je meega?' vraagt Jeroen bezorgd.

Amber schudt haar hoofd. 'Ik wil het niet… ik wil niet dat je mijn moeder dronken ziet.'

Ze springt van haar fiets, gooit de deur open en stormt de kamer in. 'Trut…! Een trut ben je!'

'Waarom doe je zo lelijk?' vraagt haar moeder met een dikke tong.

'Dat weet je heel goed!' schreeuwt Amber. 'Je hebt autogereden!'

'Ja, nou en? Ik hou van autorijden. Ik vind autorijden leuk… heel leuk…' En haar moeder begint te lachen.

'Reuzeleuk!' schreeuwt Amber. 'Je hebt Hasna aangereden met je stomme kop.'

'Zeg dat wel.' Haar moeder tikt tegen haar hoofd. 'Deze stomme kop doet héééééél zeer.'

Amber voelt zich machteloos. Begrijpt haar moeder haar nou niet, of doet ze net alsof?

'Wacht maar tot ze erachter komen dat jij het hebt gedaan. Dan weet je waar het over gaat. Dat komt ervan als je dronken in de auto stapt!'

Ambers moeder gaat rechtop zitten. Ze kijkt Amber lodderig aan. 'Wat is dat voor praat die jij uitkraamt? Dronkemanspraat… Hahaha… mijn dochter is dronken…' En gierend van de lach laat ze zich achteroververvallen.

Nu begint Amber te huilen. 'Jij bent mijn moeder niet meer… hoor je dat…? Ik wil niet meer dat jij mijn moeder bent… ' En ze rent de trap op.

'Nou, wat heb ik gezegd?' zegt Thijs als hij het tuinhuis in komt. 'Jeroen is vorige week maandagavond in de school geweest. Hij moest een map voor zijn vader halen.'

'Nou en?' zegt Tim. 'Dat is nog geen bewijs dat hij het geld heeft gestolen.'

'Waarom mochten wij het dan niet weten?' vraagt Thijs. 'En waarom moesten die twee ineens weg?' Dat vinden de anderen ook vreemd.

'Iets klopt er niet,' zegt Daniël.

'Nee, dat is duidelijk,' zegt Liza. 'Het kan...' Ze maakt haar zin niet af. Jeroen stapt het tuinhuis binnen.

Niemand weet iets te zeggen.

'Wat had Amber nou ineens?' verbreekt Liza de stilte.

'Eh... ze was misselijk,' zegt Jeroen. 'Ze moest spugen. Zijn jullie al een eindje opgeschoten?' praat hij er gauw overheen.

'Nog niet zo erg,' zegt Thijs. 'We weten nu dat er niemand in de school is geweest. Dat zei jij toch?'

'Ja, eh...' stamelt Jeroen, 'dat zei mijn vader.'

Liza draait zich met een rood hoofd naar het raam. Daniël kucht een paar keer. En Tim laat van de zenuwen zijn pen vallen.

'Volgens mij is het iemand uit onze klas.' Thijs kijkt zijn vrienden aan.

Als de anderen knikken, haalt hij zijn vulpen uit zijn zak. 'Verdachte zit in onze klas,' schrijft hij op.

Uitgenodigd

Hèhè, eindelijk is het tijd. Jeroen haalt opgelucht zijn fiets uit het rek. Wat een ochtend! Hij kon zijn aandacht geen seconde bij de les houden. Hij moest voortdurend aan Amber denken. Waarom was ze nou niet op school? Er zal toch niks ergs zijn gebeurd? Was hij gisteravond toch maar met haar mee naar binnen gegaan. Vanmiddag na het kookcafé gaat hij meteen naar haar toe. Hij doet zijn rugzak om en stapt op zijn fiets.

Een tijdje later rijdt Jeroen nietsvermoedend het gangetje achter zijn huis in. Een groepje jongens hangt rokend tegen de muur. Hij herkent de bende meteen. Hoe weten ze dat hij hier woont? Hij wil omkeren, maar het drietal heeft zijn stuur al vast.

'Wat moeten jullie hier?' vraagt Jeroen bang.

De Kale aait over Jeroens hoofd. 'Niet zo onaardig tegen je vrienden, hè, babyboy. We hebben een uitnodiging voor je.'

'Een uitnodiging?' Jeroen doet van schrik een stap naar achteren.

'Ken jij het autokerkhof achter het industrieterrein?'

Als Jeroen knikt gaat de Kale verder. 'Daar verwachten we jou vanmiddag, om drie uur.'

'Dat kan niet,' zegt Jeroen. 'Ik… ik kan helemaal niet vanmiddag. Het is woensdag en dan hebben we kookcafé.'

'Kookcafé…?' De drie jongens lachen hem midden in zijn gezicht uit. 'Zit je soms ook op een breiclubje?'

De Beer neemt Jeroen in de houdgreep. 'Nou, jongen, zeg dat meidenkransje maar af. Of wil je soms dat we je hondje aan het spit rijgen?'

'Dat kan ik niet afzeggen,' probeert Jeroen nog, 'niet op dezelfde dag. Dat hebben we afgesproken.'

'Dít hebben wij afgesproken.' De Beer haalt zijn vuist uit en…

'Au!' Jeroen grijpt kreunend naar zijn maag.

Nu grijpt de Gluiperd hem bij zijn keel. 'Dus wát doe jij vanmiddag?'

Jeroen heeft het gevoel of zijn keel wordt dichtgeknepen. 'Ik kom naar het autokerkhof…' klinkt het gesmoord.

'Braaf zo. Grote knul!' De Gluiperd laat hem los.

'We rekenen op je. Om drie uur. En geen geintjes.' De Kale haalt zijn mes te voorschijn. 'Het zou zonde zijn van dat lieve beestje.'

'Zonder kop ziet hij er vast ook heel lief uit,' grinnikt de Gluiperd vals.

Een eindje verderop gaat een poort open.

'Wegwezen,' sist de Kale.

Jeroen loopt meteen door naar zijn kamer. Hij ploft zuchtend op zijn bed neer. Nou weten ze ook al waar hij woont. En waarom moet hij naar zo'n enge afgelegen plek komen? Wat zouden ze met hem van plan zijn? Hij kijkt op zijn horloge. Over anderhalf uur wordt hij op het autokerkhof verwacht. Hij kan maar het beste doen wat ze zeggen. Hij moet er niet aan denken dat ze Saar te grazen nemen. Het is het beste dat hij om dezelfde tijd als anders weggaat. Dan merkt zijn moeder tenminste niks. Maar hoe moet het met het kookcafé? Stel je voor dat een van zijn vrienden opbelt waar hij blijft. Of dat Daniël na afloop langskomt. Dat zou helemaal een ramp zijn. Dan weet zijn moeder meteen dat er iets aan de hand is. Jeroen denkt na. Hij kan zich maar beter ziek melden, zeggen dat hij hoofdpijn heeft of zo. Hij pakt zijn agenda en loopt de studeerkamer van zijn vader in. Hij schuift de telefoon naar zich toe en draait het nummer van Liza. Eerst gaat de telefoon een paar keer over. Maar daarna wordt er opgenomen.

'Met Liza Klinkhamer.'

'Hoi, Liza, met Jeroen. Ik wou even zeggen dat ik vanmiddag niet kom. Ik barst van de koppijn.'

'Hè, wat jammer, ik hoorde net van mijn vader dat we een macaronischotel gaan maken. Dat vind jij toch zo lekker?'

'Nou ja,' zegt Jeroen. 'Niks aan te doen.'

'Weet je wat, ik breng wel een bordje langs,' zegt Liza. 'Dan kun je het proeven.'

Jeroen laat van schrik de hoorn uit zijn hand glijden.

'Ben je er nog?' klinkt het aan de andere kant van de lijn.

'Eh, ja,' zegt Jeroen, zodra hij de hoorn heeft opgeraapt. 'Maar kom maar niet langs. Ik eh... ik denk dat ik m'n nest in duik. Ik ben kotsmisselijk. Ik krijg geen hap door mijn strot. Zelfs geen macaronischotel.'

'Rottig voor je. Nou, eh... het beste en tot morgen.'

'Tot morgen.'

Zo, dat zit erop. Nu Amber nog even bellen om te zeggen dat hij ziek is. Dan kan hij meteen vragen waarom ze niet op school was. Als hij de hoorn wil oppakken, legt zijn vader zijn hand erop.

'Mag ik even weten wat jij in mijn kamer moet? Je hebt toch niks voor ons te verbergen, hoop ik?'

'Ik, eh... Amber was vanochtend niet op school. Ik wou haar even opbellen.'

'En dat kan niet beneden?' klinkt het streng.

Jeroen voelt dat hij kleurt.

'Ja ja, ik denk dat ik het wel weet. Ik ben ook jong geweest. Ik moet zeggen dat je een goede smaak hebt. Toch wil ik niet meer dat mijn telefoon voor romantische afspraakjes wordt gebruikt. Nou, kom op, jongen, was je handen. Je moeder wacht beneden met de lunch.'

'Moet jij dan niet eten?' vraagt Jeroen.

'Ik lunch in de trein. Ik ga naar een congres, weet je nog wel?'

'O ja. Nou, eh... veel plezier dan.' Jeroen loopt naar de

badkamer. Romantische afspraakjes. Nou, reuze ro-
mantisch. Zijn vader moest eens weten.
In de gang ligt een leeg lucifersdoosje. In plaats van het
op te rapen zet hij expres zijn voet erop. Hoe komt hij
ooit uit deze ellende…?

Het autokerkhof

Nog nahijgend van het harde fietsen staat Jeroen voor de spoorbomen te wachten. De stationsklok geeft kwart voor drie aan. Dat heeft hij snel gedaan. Terwijl hij toch behoorlijk is omgereden. Hij is via de nieuwbouwwijk naar het station gefietst. Dat leek hem veiliger. Tim en Thijs wonen immers in de buurt van het station. Die moet hij nu niet tegenkomen.

Hij kijkt naar de trein die langsraast. Als de spoorbomen omhooggaan, dringt het pas goed tot hem door wat voor risico hij loopt. Is het niet erg naïef om op de uitnodiging van de bende in te gaan? Veel goeds zullen ze niet met hem van plan zijn. Ze hebben niet voor niks zo'n stille plek uitgezocht. Even overweegt hij terug te gaan. Maar dan denkt hij aan de dreigende woorden van de Beer. 'Of wil je soms dat we je hondje aan het spit rijgen?' Hij kan natuurlijk naar de politie stappen. Maar hij weet niks van die jongens. Niet eens hoe ze heten of waar ze wonen. Voordat de politie die bende te pakken heeft, hebben ze allang wraak genomen. Want ze bespieden hem voortdurend. Anders konden ze nooit weten waar hij woont. Hij denkt aan het mes onder Saars keel. Nee, dan laat hij zich liever in elkaar slaan. Hij stapt op zijn fiets en steekt de spoorweg over. Na tien minuten gaat hij rechtsaf het industrieterrein op. Aan het eind komt hij over een stuk braakliggend terrein. In de verte ziet hij het meer al. Ergens aan het water ligt het autokerkhof. Jeroen is er wel eens langsgekomen met Amber, op een van hun vogeltochten.

Zodra de eerste autowrakken opdoemen, stapt hij van zijn fiets. Bah, wat is het akelig stil. Op zijn hoede loopt hij tussen de stukken blik door. Hij heeft het gevoel dat hij elk moment een mes in zijn rug kan krijgen.

Wat is dat…? Jeroen blijft stokstijf staan. Wat is dat voor gekraak? Hij gluurt angstig om zich heen. Maar dan ziet hij waar het geluid vandaan komt. Het kapotte portier van een lelijke eend, dat nog maar half in zijn scharnieren hangt, beweegt krakend heen en weer. Terwijl hij doorloopt, tuurt hij het autokerkhof af. Hij hoeft niet lang naar de bende te zoeken. Een eindje verderop steekt het hoofd van de Beer uit een oude Volkswagenbus.

'Deze kant op!'

Jeroen loopt ernaartoe, legt zijn fiets in het gras en stapt met knikkende knieën de bus in.

'Ik, eh… ik heb geen geld voor jullie. Mijn spaarpot is leeg,' zegt hij angstig.

'Wat ben je toch een grapjas.' De Kale neemt een trek van zijn sigaret en blaast de rook in Jeroens gezicht. 'Wij hoeven jouw poen helemaal niet.'

'Wat willen jullie dan van me?'

'Wij willen alleen maar iets van je lenen,' antwoordt de Gluiperd die met een blikje bier op de achterbank hangt. 'Ook een slokkie?' Hij houdt het blikje voor Jeroens neus.

Jeroen schudt zijn hoofd. Wat denken ze wel? Alsof hij zin heeft om gezellig een pilsje met die rotzakken te drinken. 'Wat willen jullie van me?'

De Gluiperd komt een stukje overeind en trekt de rits van Jeroens jack omlaag. 'Je jack.'

'Blijf af.' Jeroen rukt zich los. Maar de Gluiperd grijpt hem vast. 'We gaan toch niet moeilijk doen, hè? Wij zijn jouw vrienden. En je vrienden mogen best even je jas lenen.'

'Ik mag toch wel weten waarvoor?' vraagt Jeroen.

'Nee, jochie, jij mag helemaal niks. Jij mag hier een poosje in de bus blijven. Tot wij terugkomen. Als we tenminste terugkomen.' Hij giet een straal bier in Jeroens nek. 'Hier met dat jack.' De Gluiperd smijt het lege blikje naar buiten, rukt Jeroens jack van zijn lijf en trekt het aan.

'Je hebt geluk dat ik een onderdeurtje ben. Anders had je een maat groter voor me kunnen gaan jatten.'

Terwijl de Gluiperd het jack dichtritst, haalt de Beer een touw, en een rolletje plakband uit het dashboardkastje.

Jeroen verbleekt.

'Dit is voor de zekerheid,' grijnst de Beer. 'Stel je voor dat jij domme dingen gaat doen. Dat moeten we natuurlijk niet hebben.'

'Jullie kunnen me wat!' Jeroen springt op en wil de bus uit rennen. Maar nog geen seconde later wordt hij ruw op de achterbank gesmeten.

'Zo, geen grappen!' De Beer haalt uit en Jeroen krijgt een stomp in zijn maag. 'En nou braaf zijn.'

Jeroen probeert zich te verzetten, maar hij heeft niks in te brengen. Terwijl de Kale hem in een soort houdgreep tegen de achterbank drukt, bindt de Beer zijn armen op zijn rug. Daarna binden ze hem vast aan de bank.

'Aan het werk, jongens!' De Kale en de Beer springen de bus uit en starten hun brommers. Jeroen vraagt zich af waarom ze de brommer van de Gluiperd laten staan. Maar dan ziet hij dat die zich laat voortslepen door een brommer, op zíjn fiets.

Zodra de bende uit het gezicht is verdwenen, probeert Jeroen zich los te maken. Jemig, wat hebben ze hem stevig vastgebonden. Bij elke beweging snijdt het touw dieper in zijn polsen. Hij denkt angstig aan wat hem nog meer te wachten staat.

Jeroen is niet de enige die zich van alles afvraagt… Na het telefoontje van Jeroen heeft Liza Daniël opgebeld.

'Ik vind het wel vreemd,' zegt Daniël als hij hoort dat Jeroen ziek is. 'Vanochtend was er nog niks van te merken dat hij hoofdpijn had. Met zaalvoetbal deed hij anders heel fanatiek mee. En Amber was er vandaag ook al niet.'

'En ik mocht niet eens langskomen,' zegt Liza.

Dat vindt Daniël nog het allervreemdst. 'Hoe komen we er nou achter of hij echt ziek is?'

Liza heeft al een plannetje bedacht. 'Jij gaat hem straks gewoon ophalen. Je doet net of je van niks weet. Dan kom je er vanzelf achter of hij heeft gelogen.'

Dat vindt Daniël een superidee. Hij legt opgelucht de hoorn op de haak. En om precies kwart voor drie staat hij op de stoep bij Jeroen.

'Jij komt zeker voor Jeroen,' zegt mevrouw Van Dam als ze Daniël ziet staan. 'Je hebt pech, hij is al weg.'

'Is hij weg?' Daniël staart Jeroens moeder verbaasd aan.

'Ja, hij is een halfuurtje geleden vertrokken.'

'Nou, dan ga ik maar.' Daniël steekt peinzend zijn fietssleuteltje in het slot. Zou Jeroen op het laatste nippertje hebben besloten toch te gaan? In dat geval is er niks aan de hand. Hij springt op zijn fiets en rijdt de stoep af. Toch is hij niet helemaal gerust. Als Jeroen nou niet in het kookcafé is, als hij de hele middag niet komt opdagen... dan zou Thijs wel eens gelijk kunnen hebben.

Het wachten lijkt een eeuwigheid te duren. Naarmate de tijd verstrijkt, worden Jeroens gedachten steeds somberder. In het begin had hij nog wel een beetje vertrouwen dat het goed zou aflopen. Maar nu is hij er bijna zeker van dat de bende niet terugkomt. Dat ze hem kwijt moeten, uit angst dat hij hen zal aangeven bij de politie. Ze hadden geen betere plek kunnen uitzoeken om hem om zeep te helpen. Wie vindt hem hier nou? Op een dag, als hij al lang van honger en

dorst is omgekomen, komt er misschien een bulldo-
zer om de bus in elkaar te persen. Met hem erin! Hij
snapt nu ook waarom ze zijn jack en zijn fiets hebben
meegenomen. Die laten ze ergens achter. Misschien
bij het meer, of op de pier. Zodat het lijkt alsof hij is
verdronken... Jeroen denkt aan zijn vader en moeder
en aan Saar en Amber... Zal hij hen nog ooit terug-
zien? Hij voelt de tranen in zijn ogen prikken. Maar
dan schrikt hij op. Hoort hij het goed? Ja, hoor, hij
herkent het geluid van brommers. Als het dichterbij
komt, weet hij het zeker. Dat moet de bende zijn. Vlak
voor de bus houden ze stil. Met veel lawaai stapt het
drietal de bus in.
'Je bent een brave jongen geweest.' De Kale rukt het
plakband ruw van Jeroens mond. Daarna maakt hij het
touw los. 'En nou ophoepelen.'
De Gluiperd smijt Jeroens jack naar buiten.
Jeroen weet niet hoe gauw hij weg moet komen. Hij
springt op zijn fiets en racet het autokerkhof af. Nu
moet hij het echt met Amber bespreken. Ook al is ze
nog zo verdrietig.

'Ik dacht al dat je zou langskomen,' zegt Amber als Jeroen haar kamer in komt. 'Ik kon echt niet naar school.'
'Ben je ziek?' vraagt Jeroen.
'Ik heb zowat de hele nacht gespuugd. Ik denk van de
zenuwen. Vanochtend voelde ik me zo slap, ik kon nau-
welijks op mijn benen staan.'
'En hoe is het nu met je?' vraagt Jeroen.

'Rot natuurlijk.' Als Amber Jeroen aankijkt, ziet ze dat hij trilt. 'Wat is er met jou?'

'Ik… ik had het je al lang willen vertellen…' En Jeroen begint te huilen.

'Jeroen…' Amber slaat een arm om hem heen.

Hortend en stotend vertelt Jeroen het hele verhaal. Vanaf het moment dat de bende de school in kwam.

Eerst weet Amber niet wat ze moet zeggen. Ze schudt maar met haar hoofd. 'Wat een schoften… dat er zulk schorem bestaat…'

'Ik had het meteen aan mijn ouders moeten vertellen,' snikt Jeroen. 'Maar het komt door mijn vader. Altijd dat stomme strafwerk…'

'En door mijn moeder,' zegt Amber. 'Als die niet weer met drinken was begonnen, dan had je het mij dezelfde avond nog verteld. En dan hadden we er samen iets op bedacht.'

Jeroen kijkt Amber aan. 'Wat moet ik nou?'

'Zo kan het niet langer doorgaan,' zegt Amber. 'Waarvoor denk je dat ze je jack en je fiets nodig hadden? Misschien hebben ze wel ergens ingebroken. De volgende keer dwingen ze je nog iemand te beroven. Kom op, je vader moet het nu weten. Ik ga wel met je mee.'

'Dat kan niet,' zegt Jeroen. 'Mijn vader is er niet. Die is naar een of ander congres over onderwijs. Hij komt pas morgen weer thuis. En als ik het nu aan mijn moeder vertel, breekt helemaal de hel los. Dan denkt hij dat ik expres heb gewacht tot hij er niet was.'

'Nou, dan vertellen we het morgen,' vindt Amber. 'Die ene dag maakt nou ook niks meer uit.'

'Goed,' zegt Jeroen. 'Dan ga ik nu naar huis. Anders ben ik te laat voor het eten.'

Verdacht

De volgende dag, na schooltijd, bladert Thijs thuis de krant door. Ineens valt zijn oog op een bericht dat ergens midden op een pagina staat. TASJESROOF, staat erboven. Hij leest het door.

Gistermiddag om tien over vier is de vierenzestigjarige mevrouw Vroegop beroofd. Vermoedelijk heeft de dader haar bij de bank staan opwachten. Ze had tweehonderd euro opgenomen en liep naar de Westerstraat. Onder het viaduct werd haar tas uit haar hand gerukt. Ze viel op de grond en brak haar heup. De dader, vermoedelijk een jonge jongen, ging ervandoor op een paarse mountainbike. Hij heeft blond krullend haar en droeg een rood jack.

Thijs heeft het artikel nog niet uit of hij zit al met Daniël aan de telefoon. Nog geen kwartier later zitten ze met Liza en Tim in het tuinhuis over het krantenbericht gebogen.
Liza is de eerste die reageert. 'Een rood jack, blonde

krullen en een paarse mountainbike... dat moet Jeroen geweest zijn.'

'Vandaar die smoes dat hij ziek was,' zegt Tim. 'En waarom was Amber er vandaag niet?'

'Ik weet het niet,' zegt Thijs. 'In ieder geval zit ze in het complot. Ik vind dat we de politie moeten waarschuwen.' Maar daar is Daniël het niet mee eens. 'We weten niet eens zeker of Jeroen het heeft gedaan.'

'Er zal toch iets moeten gebeuren,' vindt Thijs. 'Dit loopt uit de hand. Eerst pikt hij het geld van ons schoolreisje. En nu berooft hij een bejaarde.'

Daniël neemt een slok van zijn cola. 'Ik snap het niet. Hebben we ons dan zo in Jeroen vergist?'

'Ik vrees van wel,' zegt Thijs. 'Alles wijst erop.'

'Waar zou hij al dat geld voor nodig hebben?' vraagt Tim zich af.

'Dat kun je nooit weten,' zegt Thijs. 'Misschien wel voor een of andere uitvinding.'

'Zo veel? Dat moet dan wel iets supersupersupersonisch zijn,' zegt Tim.

'Nou, jongens, daar zitten we dan. Hoe lossen we dit probleem op?' vraagt Liza.

'We kunnen het beste volgens het recept van inspecteur Morse te werk gaan,' zegt Thijs. 'Deduceren en combineren.'

'Kan dit even worden ondertiteld?' vraagt Tim.

Thijs wil uitleggen wat de begrippen betekenen. Maar daar hebben zijn vrienden geen geduld voor. 'Hou op over die Morse. We hebben toch zelf ook wel hersens.'

Ze staren een poosje voor zich uit. En dan heeft Liza een idee. 'Volgens mij wordt het tijd dat we Erik inschakelen.'

Iedereen vindt het een goed plan om de meester in vertrouwen te nemen.

'Van Erik weet je tenminste zeker dat hij Jeroen nooit zal laten vallen,' zegt Daniël.

Thijs knikt. 'Erik is een kanjer. Kom op, we gaan.'

Terwijl het viertal op weg is naar de Landstraat, fietst Jeroen naar Ambers huis. Ze zouden immers vanmiddag alles aan Jeroens vader vertellen. Amber was vandaag weer niet op school. Als ze nou maar niet nog zieker is geworden.

Jeroen rijdt over de Kennemerstraatweg als het stoplicht op rood springt. Hij kijkt naar rechts. Er komt niks aan. Waarom zou hij eigenlijk stoppen? Hij neemt een spurt en crosst de weg over. Zo, dat scheelt weer een paar minuten. Tenminste, dat denkt hij.

Hij is nog maar net aan de overkant als er een politieauto naast hem komt rijden.

De agent die aan zijn kant zit, gebaart dat hij moet afstappen. Hij draait het raampje open. 'Heb je op school geen verkeersles gehad?'

Jeroen wordt knalrood. 'Jawel,' zegt hij gedwee.

'Dan weet je toch wel dat je niet door rood mag rijden?'

Jeroen knikt schuldbewust.

'Doe je dat wel vaker?'

'Nee,' zegt Jeroen. 'Dit is de eerste keer.'

'Laat ik het niet meer zien.' De agent wil het bij een waarschuwing laten, maar dan valt zijn oog op Jeroens jack. Zijn ogen schieten naar de paarse mountainbike. Hij fluistert zijn collega iets in. Onmiddellijk daarna stapt de agent uit. 'Zet je fiets maar op slot. Jij mag even met ons mee naar het bureau.'

'Is het zo erg?' vraagt Jeroen geschrokken. 'Is het zo erg dat ik door rood ben gereden?'

De agent houdt het achterportier voor Jeroen open. 'Ik denk dat rechercheur Van Dijk jou een paar vragen wil stellen.'

Jeroen zet zijn fiets op slot tegen een boom. Hij gelooft er niks van. Wat nou vragen stellen? Ze zijn zeker hun bonboekje vergeten. Je zult zien dat hij straks alsnog een bekeuring krijgt. Dat gaat hem minstens zes weken zakgeld kosten. Balen, had hij nou maar gewacht tot dat stomme licht op groen sprong.

Een tijdje later zit Jeroen bij rechercheur Van Dijk op het politiebureau. Eerst moet hij zijn naam, adres en telefoonnummer opgeven. Daarna haalt de rechercheur een krantenknipsel uit zijn la en schuift het onder Jeroens neus. 'Lees dit maar eens.'

Jeroens ogen glijden over de letters, tot het signalement van de dader. Dan voelt hij het bloed naar zijn hoofd stijgen. Hoe moet hij zich hieruit redden?

'Daar schrik je van, hè?'

'Ik heb het niet gedaan,' stamelt Jeroen.

'Nee, dat zal wel niet,' zegt de rechercheur. 'Je hebt jezelf verraden, jongen. Of word je altijd zo rood als je over een beroving leest?'

Nu kan Jeroen zijn geheim niet meer voor zich houden. 'De bende heeft het gedaan. Die hadden mijn jas en mijn fiets geleend.'

'De bende?' De rechercheur kijkt hem verbaasd aan.

'Ze zijn met zijn drieën,' vertelt Jeroen.

'En waar kunnen we dat drietal vinden, als ik vragen mag?'

Jeroen haalt zijn schouders op. 'Dat weet ik niet. Ik weet niks van ze.' Hij vertelt over de voordeur van de school die hij 's avonds open had laten staan. Over het mes op zijn keel en hoe ze hem daarna voortdurend hebben bedreigd.

'En jij weet helemaal niets van ze?' De rechercheur kijkt Jeroen ongelovig aan. 'Ook niet toevallig het nummer van een van de brommers opgenomen?'

'Daar heb ik helemaal niet aan gedacht,' zegt Jeroen.

'Ik zal het laten uitzoeken, jongen, maar het is wel een indianenverhaal. Vertel eens, ben je al eens eerder met de politie in aanraking geweest?'

'Nee, nog nooit,' antwoordt Jeroen.

De rechercheur steekt een sigaar op. Terwijl hij rookkringetjes blaast, kijkt hij Jeroen aan. 'En nu vond je dat het tijd werd om maar eens iets uit te vreten. En toen heb je gisteren een oud dametje beroofd.'

'Nee,' zegt Jeroen. 'Dat heb ik niet gedaan, echt niet…'

Tranen van onmacht springen in zijn ogen. 'U moet me geloven.'

'Rustig maar, jongen,' spreekt de rechercheur sussend. 'We zijn er zo achter of jij de waarheid vertelt. Wij gaan samen een bezoekje brengen aan het Centraal Ziekenhuis. Daar ligt mevrouw Vroegop. Zij heeft de dader gezien. Dus als jij zeker weet dat je het niet hebt gedaan, hoef je je geen zorgen te maken dat ze je herkent.' De rechercheur staat op en houdt de deur voor Jeroen open. 'Loop maar vast naar de balie. Ik kom er zo aan. Even je ouders op de hoogte brengen.'

Jeroen heeft het gevoel dat hij van ellende in elkaar kan zakken. Nou wordt hij ook nog van beroving verdacht. Hij heeft weinig vertrouwen in het bezoek aan het ziekenhuis. De Gluiperd heeft blonde krullen, net als hij. En hij is bijna even groot. Het zit er dik in dat die vrouw hem met de Gluiperd verwart. Als dat zo is, is hij verloren…

Het besluit

'Balen, jongens!' Daniël drukt voor de derde keer op de bel, maar Erik doet niet open.

'Wat doen we nu?' Thijs kijkt het groepje vragend aan.

'Wachten, hè?' Liza gaat demonstratief op het stoepje voor het huis zitten.

'Ja, de groeten,' zegt Tim. 'Misschien blijft hij de hele avond weg. En zitten wij hier voor Piet Snot.'

'Waardeloos!' Thijs geeft een trap tegen het hek. 'Nou is hij niet thuis. Net nu we hem nodig hebben.'

'Wie heeft mij nodig?' klinkt een bekende stem.

Vier hoofden draaien zich om.

'Mees!' Liza valt Erik zowat om zijn hals van blijdschap.

'Jullie krijgen allemaal de groeten van Hasna,' zegt de meester. 'Het gaat gelukkig goed met haar. Er stond een prachtige fruitmand naast haar bed van de man die haar heeft aangereden. Hij heeft zich toch maar bij de politie gemeld. Maar, vertel op, wat voert jullie hier-heen?'

'We weten wie de dader is,' zegt Thijs.

Dat gaat Daniël een beetje te ver. 'Nietes. Dat weten we nog helemaal niet zeker.'

'Er zijn alleen een paar rare dingen gebeurd,' zegt Liza.
'"Raar" is zwak uitgedrukt,' vindt Thijs.

Erik haalt zijn sleutels uit zijn zak en doet de voordeur open. 'Als jullie nou eerst eens binnenkomen.'

De kinderen lopen achter hun meester aan de kamer in. Ze hebben geen geduld om iets te drinken. Ze barsten meteen los.

Erik ijsbeert onrustig heen en weer door de kamer. 'Dit is een vreemd zaakje, jongens,' zegt hij als ze zijn uitverteld. 'Dit is een heel vreemd zaakje.'

'We weten het niet zeker, hoor,' zegt Daniël. 'We weten niet zeker of Jeroen het heeft gedaan.'

Erik steekt een sigaret op. 'Natuurlijk is Jeroen geen dief. En Amber ook niet. Daar durf ik alles om te verwedden.' Meester Erik gaat zitten. 'Ik weet niet wat ik hier precies van moet denken. De laatste tijd gedraagt Jeroen zich nogal nerveus. En hij is er niet bij met zijn gedachten. Dat was ook aan zijn toets te merken. Het zou wel eens kunnen dat hij in grote moeilijkheden verkeert en dat hij Amber in vertrouwen heeft genomen.'

'Hoe bedoelt u?'

'Dat leg ik later wel uit. We hebben nu geen tijd te verliezen. We moeten Jeroen helpen, voordat er nog meer ongelukken gebeuren.'

'Gaan we naar hem toe?' vraagt Liza.

'Zo snel mogelijk,' zegt Erik. 'Laat je fiets maar staan. We nemen mijn auto.'

Op hetzelfde moment dat de kinderen zich in Eriks auto wringen, stapt Jeroen met rechercheur Van Dijk het Centraal Ziekenhuis binnen.

'Wacht hier maar even,' zegt de rechercheur en hij loopt door naar de receptie.

Jeroen kijkt gespannen naar de receptioniste. Na een kort gesprekje met de rechercheur neemt ze de hoorn van de telefoon in haar hand.

Nou zul je het hebben... Jeroen kijkt onafgebroken naar de beddenlift. Hij verwacht elk moment dat een zuster mevrouw Vroegop naar buiten rijdt. Maar de rechercheur komt er al weer aan.

'We hebben pech. De artsen zijn met mevrouw Vroegop bezig. Het schijnt dat ze nogal van streek is door wat er is gebeurd. Op dit moment mogen we haar niet storen. Ik heb voor morgenochtend een afspraak gemaakt.'

'Morgenochtend?' vraagt Jeroen geschrokken. 'Maar dan zit ik op school.'

'Dat weet ik,' antwoordt de rechercheur. 'Ik haal je wel uit de klas. Deze zaak is belangrijk genoeg. Kom maar mee. Ik geef je een lift naar je fiets.'

Jeroen loopt naast de rechercheur het parkeerterrein op. Dus morgen weet de hele klas dat hij van beroving wordt verdacht. En wat hij er ook tegenin brengt, geen mens zal hem geloven. Waarom zouden ze? Hij heeft hun woensdagmiddag toch ook voorgelogen? Nee, het ziet er niet best voor hem uit. Zijn vader zal hem thuis wel opwachten. Wat de rechercheur zijn ouders precies heeft verteld, weet hij niet. Veel goeds zal het in ieder geval niet zijn. Jeroen schopt een steentje weg. Hij durft niet naar huis. Hij ziet de balen strafwerk al voor zich…

'Stop eens!' Op de Kennemerstraatweg geeft Liza een brul. 'Daar bij die boom, dat lijkt Jeroens fiets wel.'
Erik staat boven op zijn rem en rijdt een klein stukje achteruit. 'Die paarse mountainbike, bedoel je? Daar zijn er echt meer van.'
'Nee,' zegt Daniël. 'Niet van deze. Die maffe snelheids-meter en die koplamp heeft Jeroen zelf ontworpen.'
'Weten jullie het zeker?'
De kinderen knikken. 'Heel zeker.'
'Hebben jullie enig idee waarom die fiets hier staat? Woont er soms een vriend van Jeroen in deze straat?'
'Niet dat ik weet.' Ze kijken elkaar vragend aan.
'Dan moeten we het gewoon afwachten.' Erik tuurt de straat door. Schuin aan de overkant ontdekt hij een leeg plekje. Hij keert en manoeuvreert zijn auto erin.
'Wat moeten die nou?' Na een poosje wijst Thijs naar drie brommers die bij Jeroens fiets stoppen. Een van de jongens stapt af, bekijkt de fiets en wijst naar de snel-heidsmeter. De twee anderen steken hun duim om-hoog. Ze rijden hun brommers de stoep op en parke-ren bij de fiets.
'Dacht ik het niet,' zegt Erik. 'Ik zei toch dat er iets niet klopte? Als je het mij vraagt, staan die lui Jeroen op te wachten.'

'We gaan naar ze toe!' Tim gooit het portier al open.

'Hier blijven!' zegt Erik streng. 'Ze mogen niet merken dat we ze in de gaten hebben. Anders gaan ze er meteen vandoor.'

'Volgens mij heb je gelijk, mees,' zegt Daniël. 'Ze wachten Jeroen op. Wat moeten ze anders bij zijn fiets?'

'Luister goed,' zegt Erik. 'Zodra Jeroen eraan komt, stappen jullie uit en gaan naar hem toe. Denk erom, jullie laten hem niet alleen. Er mag niks met hem gebeuren.'

'En jij dan?' vraagt Liza.

'Wat dacht je?' lacht Thijs. 'Erik gaat die bende achterna. Of dacht je soms dat die bleven wachten tot ze worden ingerekend?'

Erik geeft Thijs een klopje op zijn schouder. 'Je wordt al een echte detective. Ik wil ze inderdaad achtervolgen. Misschien zit ik er wel helemaal naast en staan ze daar toevallig, maar ik rust niet voordat ik weet wie dat zijn.'

'Je vindt het zeker niet erg dat ik je er hier uitzet, hè?' vraagt rechercheur Van Dijk. 'Die paar stappen kun je wel lopen.'

Jeroen mompelt iets onverstaanbaars. Hij is zo in gedachten, dat hij niet eens ziet dat de rechercheur bij het wegrijden zijn hand naar hem opsteekt. Maar zodra hij één voet op de Kennemerstraatweg zet, is hij klaarwakker. De bende… Hij draait zich pijlsnel om, holt de weg over en vlucht de eerste de beste zijstraat in. Pas drie straten verder durft hij achterom te kijken. Gelukkig, ze hebben hem niet gezien. Tegelijkertijd beseft hij dat hij nu ook geen fiets bij zich heeft. Nou ja, dan maar lopen, zo ver is het niet naar Ambers huis. En Jeroen rent de hoek om.

'Het hoeft niet meer,' zegt Jeroen als Amber haar jas wil aantrekken. 'We hoeven het mijn vader niet meer te vertellen. Dat heeft de politie al gedaan.' En Jeroen vertelt Amber over de politie en mevrouw Vroegop.
'Jeetje, wat nou?'
'Ik durf niet meer naar huis,' zegt Jeroen. 'Kan ik me hier niet een tijdje schuilhouden?'
'Hier? In dit rothuis?' zegt Amber. 'Nou, waar je zin in hebt. Mijn moeder en ik hebben gisteravond gevochten.'
'Was ze weer met de auto weg?' vraagt Jeroen.
'Ze probeerde het,' zegt Amber. 'Ik dacht, dat gaat niet door. Ik griste de autosleutels voor haar neus weg. Toen begon ze te vechten. De strijd was snel beslist. Ik gaf haar een zetje en ze lag al op de grond.'
'En toen?'
'Toen heb ik mijn vader een fax gestuurd. Een uurtje later kreeg ik er een terug. Moet je horen…'
Jeroen loopt achter Amber aan naar boven. Amber haalt een papier van haar bureau. Ze leest voor wat erop staat.
' "Lieve Amber, hou je taai. Je hoort snel van me, papa." Nou, daar heb ik wat aan. Ik weet nu al wat ik te horen krijg. We mogen mama niet laten vallen. We moeten haar helpen. Alsof hij dat zelf doet. Hij is er nooit!'

89

Amber propt de fax in elkaar. De tranen springen in haar ogen. 'Ik vind het zo erg dat ze Hasna heeft aangereden. En dat ze dan nog de moed heeft weer in de auto te stappen... Als ik jou niet had beloofd mee naar je vader te gaan, was ik gisteravond al weggelopen.'

'Je kunt toch niet zomaar weglopen,' zegt Jeroen. 'Waar moet je naartoe?'

'Ik heb een heel lieve tante, in Haarlem,' zegt Amber.

Een tijdje zitten ze tegenover elkaar. Amber snottert een beetje.

'Of, eh...' begint Jeroen.

'Wat, of...?' vraagt Amber.

'Of we moeten samen naar je tante gaan,' zegt Jeroen aarzelend.

Ambers gezicht klaart meteen op. 'Ik wil wel. Ze is hartstikke aardig.' Amber loopt naar de kast en keert haar spaarpot om. Er valt een briefje van tien uit. 'Hiervan kunnen wij samen met de trein.' Ze stopt het in haar portemonnee.

'Gaan we nu meteen?' vraagt Jeroen.

'Nee,' zegt Amber, 'dat kan niet. Op donderdag is ze er nooit. Dan zorgt ze voor mijn oma in Eindhoven. We kunnen morgenmiddag pas bij haar terecht.'

'Nou, dan slapen we vannacht hier,' zegt Jeroen.

Amber krijgt het meteen benauwd. 'En als je vader nou hier komt en vraagt of ik weet waar jij zit?'

'Dan zeg je dat je het niet weet.'

'Dat kan ik niet,' zegt Amber. 'Ik kan niet liegen. Dan word ik knalrood.'

Een tijdje staren ze peinzend voor zich uit. Ineens heeft Amber een idee. 'We kunnen vannacht in de duinen slapen, in de schuilhut.'

'Gaaf!' zegt Jeroen. 'En dan gaan we morgen naar Haarlem.'

Amber scheurt een blaadje uit haar schrift en begint te schrijven.

'Je verraadt toch niet waar we naartoe gaan, hè?' vraagt Jeroen.

'Hèhè, zie ik er zo dom uit? Ik vertel alleen dat ik ben weggelopen. Zo, eigen schuld.' Amber legt het briefje op haar kussen. 'Als ze vanavond met haar dronken kop in de auto stapt, weet ik het tenminste niet.' En ze pakt haar rugtas en propt er wat kleren in.

De achtervolging

Na ongeveer een halfuur op Jeroen te hebben gewacht, geeft de bende het op. Ze starten hun brommers en spuiten de stoep af.

'Ze gaan ervandoor!' waarschuwt Thijs. 'Erachteraan!'

Van de zenuwen krijgt Erik zijn auto niet gestart.

'Daar gaan ze!' Daniël wijst in de verte. Voor de derde keer draait Erik het contactsleuteltje om en…

'Hij doet het!'

Terwijl Erik op het verkeer let, verliezen de kinderen de brommers geen seconde uit het oog.

'Ze gaan de Kanaalkade op!' brult Tim opgewonden.

Erik rijdt achter de bende aan. Maar het is niet makkelijk hen bij te houden. Vooral als ze in de buurt van het centrum komen. De auto's rijden stapvoets. Erik heeft al twee bekeuringen geriskeerd door de baan van de bus te nemen. De bendeleden hebben geen last van files. Die scheuren overal tussendoor.

'Ze gaan de spoorbaan over!' roept Tim met zijn neus haast tegen de voorruit.

Erik geeft plankgas. Ze zijn halverwege de Spoorstraat als de bel begin te rinkelen.

'Harder!' sporen de kinderen Erik aan.

Dan gaan de spoorbomen al omlaag en Erik moet stoppen. Ze springen uit de auto om de bende na te kijken. Maar een trein belemmert hun het uitzicht.

'Kom op!' Ze schieten de auto in, zodat ze meteen kunnen wegrijden als de bomen omhooggaan.

'Ze zijn nergens meer te zien,' zegt Daniël geschrokken als de trein voorbij is.

'We moeten ze vinden!' Zodra het licht op groen springt, racet Erik de spoorbaan over. In volle vaart rijdt hij de weg af. Bij elke zijstraat neemt hij gas terug.

'Daar!' Tim wijst naar drie stippen in de verte.

'Dat zouden ze wel eens kunnen zijn.' Erik rijdt het industrieterrein op. Als ze dichterbij komen, herkennen ze de jongens.

Achter de bende aan rijden ze het autokerkhof op.

'Niks laten merken, jongens,' waarschuwt Erik als de drie brommers bij de Volkswagenbus stilhouden. 'We doen net of we hier een kijkje nemen.' Een eindje verderop parkeert hij zijn auto. In de ruit van een Mercedes zien ze dat de bende de bus in stapt.

'We gaan ze overvallen,' zegt Tim.

'Ben je mal,' zegt Erik. 'Dat is veel te gevaarlijk.'

'Wat wil jij dan dat we doen?' vraagt Thijs.

Erik fronst zijn wenkbrauwen. 'Ik moet even nadenken.'

Maar dat is al niet meer nodig. Het drietal springt de bus uit en start hun brommers.

'Dat komt goed uit,' zegt Erik als ze uit het gezicht zijn

verdwenen. 'Nu kunnen wij die bus eens even doorzoeken.'

'Spannend.' Ze staan meteen naast de auto. Daniël ontfermt zich over het dashboardkastje. Liza en Tim doorzoeken het achtergedeelte en Thijs houdt buiten de wacht.

'Kijk nou eens!' Met een hoofd vol stof komt Liza onder de achterbank uit. 'Het geldkistje…!'

'We hebben ze!' juicht Daniël. 'We hebben de daders.'

'Wat dachten jullie hiervan?' Tim haalt ook nog een handtasje onder de achterbank uit. Op het moment dat hij het wil openmaken, steekt Thijs zijn hoofd door het raampje. 'Ze komen eraan!'

Vliegensvlug schieten ze de bus uit. Erik schuift het geldkistje en het tasje nog snel onder de achterbank.

In het voorbijgaan kijkt de bende het groepje onderzoekend aan. Om hun argwaan weg te nemen, pakt Erik een plattegrond uit zijn auto en stapt op het drietal af.

'Weten jullie misschien waar we ons hier ergens bevinden?'

De drie jongens lachen hem midden in zijn gezicht uit. 'Op de maan, nou goed?' Ze gaan grinnikend de bus in.

'Kom mee, jongens.' Erik wenkt de kinderen dat ze moeten instappen. 'Ik geloof dat het de hoogste tijd is om de politie te waarschuwen. En daarna moeten jullie maar even je ouders bellen. Die weten anders niet waar jullie blijven.' Hij start de auto en rijdt naar de eerste de beste telefooncel.

Actie

Op het autokerkhof, een eindje van de Volkswagenbus af, staat de auto van Erik geparkeerd.

'Schiet op, politie,' zegt Thijs. 'Zo meteen smeren ze hem.'

'Dan gaan wij ze achterna,' zegt Erik. 'Ik moet nu weten wie het zijn.'

Daniël, Tim en Liza houden de Volkswagenbus voortdurend in de gaten. Thijs en Erik letten op de weg of de politie eraan komt.

'Daar heb je de politie!' Thijs wijst in de verte. Nu zien de anderen het ook. Ze willen de auto uit stormen. Maar dat mag niet van Erik.

'Jullie blijven hier, begrepen? Dit regel ik.' En hij stapt uit.

Hij loopt naar de weg en steekt zijn hand op.

De politieauto stopt. Twee agenten stappen uit. Erik wijst hun de Volkswagenbus.

'Spannend!' De kinderen houden elkaar vast.

De agent die achter het stuur zit, rijdt nog een klein eindje door. Dan stapt hij ook uit. Met zijn drieën omsingelen ze de bus.

'Naar buiten jullie, handen omhoog!' roept een van de agenten.

De Gluiperd en de Beer komen de bus uit. Ze krijgen meteen handboeien om. Maar de Kale smijt het portier naast het stuur open, springt naar buiten en glipt tussen twee autowrakken door.

'Staan blijven!' roept de agent. Maar de Kale rent door. Door de achterruit van de auto zien de kinderen dat de Kale hun kant op holt.

Van de spanning houden ze hun adem in. Op het moment dat de Kale langs de auto rent, gooit Thijs het portier open en laat zich voor de Kale op de grond rollen.

'Vuile klootzak!' De Kale struikelt over Thijs. Hij probeert nog overeind te krabbelen, maar Tim, Daniël en Liza duiken boven op hem. Een paar tellen later wordt hij ingerekend.

Als de bende in de politieauto zit, kammen de agenten de bus uit.

'Dit is het vermiste kistje,' zegt Erik. 'En dit tasje zou wel eens van die bejaarde dame kunnen zijn.'

'U wordt bedankt.' De agenten geven Erik een hand. 'U hoort vanavond nog van ons.'

Eerst is Erik nog een beetje boos op de kinderen. Omdat het wel heel gevaarlijk was wat ze deden. Maar de boosheid is al snel over. Tenslotte is het goed afgelopen. En dankzij hun heldhaftige optreden zit de hele bende nu opgesloten.

In feeststemming rijden ze naar het huis van Jeroen.

Maar de vreugde is snel voorbij als ze horen dat Amber en Jeroen zijn weggelopen.

Toen Jeroen om zeven uur nog niet thuis was, belde zijn vader naar Ambers huis. Ambers vader, die na de fax onmiddellijk naar huis was gevlogen, had het briefje gevonden.

Inmiddels is het buiten al pikdonker en is er nog geen spoor van Jeroen en Amber.

Terwijl de moeder van Jeroen naast de telefoon zit, rijden de twee vaders met Erik en de kinderen overal naartoe waar ze mogelijkerwijs hun toevlucht kunnen hebben gezocht. Ook de politie is een speurtocht begonnen.

'En? Is er al iets bekend?' Zodra het groepje de kamer weer in komt, stuift de moeder van Jeroen op hen af.

Jeroens vader schudt bezorgd zijn hoofd. 'Niks.'

'Jij ook altijd met je strafwerk. Nou zie je wat ervan komt…' moppert Jeroens moeder. En dan begint ze te huilen. 'Ik ben zo bang… Ik ben zo bang dat die bende hem iets heeft aangedaan…'

'Daar hoeft u zich geen zorgen over te maken,' stelt Erik haar gerust. 'De politie heeft het hun nadrukkelijk gevraagd, maar ze hebben gezworen dat ze Jeroen vandaag niet hebben gezien.'

'Laten we nog eens goed nagaan waar ze kunnen zijn,' zegt Erik.

'We hebben overal gekeken,' zucht Tim.

'En die plek waar jullie altijd vliegtuigen keken?' vraagt Erik. 'Je weet wel wat ik bedoel, Daniël, "stalen vogels" noemden jullie ze.'

'Vogels…?' Nu schiet Daniël de schuilhut te binnen. 'De schuilhut in de duinen… Dáár kunnen ze zijn.'

'Vlug!' De twee vaders staan al buiten.

'Ik blijf bij de telefoon, maar misschien hebben jullie hier iets aan.' Jeroens moeder drukt haar man een zaklantaarn in zijn hand.

'Prima.' Erik zet Daniël naast zich in de auto. 'Jij bent nu onze gids. En jij vertelt ons precies hoe we moeten rijden.'

De vader van Amber draait een raam van zijn auto omlaag. 'Wij volgen jullie!' En hij start de motor.

Jeroen en Amber liggen in de hut. Maar ze hebben nog niet veel geslapen. Ze zijn koud en hongerig. Telkens als ze even wegsoezen, schrikken ze op van een of ander geluid. Ze hebben nooit eerder een nacht in de duinen doorgebracht. Het is veel enger dan ze dachten. Bij elk geritsel duiken ze bibberend in hun jack.

Ze kunnen hun ogen niet meer openhouden van vermoeidheid. Maar na een poosje zitten ze opnieuw rechtop.

'Voetstappen…!' fluistert Amber. Ze luisteren gespannen. Nu horen ze het duidelijk. Voetstappen en ook stemmen.

Zonder geluid te maken kruipen ze naar de uitgang van de hut. Ze turen het donker in. Een eindje verderop zien ze een lichtschijnsel. Ze zien ook mensen, maar ze kunnen geen gezichten onderscheiden. Muisstil blijven ze zitten. Maar dan horen ze opeens een stem.

'Jeroen...! Amber...!' klinkt het in het donker. 'Niet schrikken, wij zijn het!'

Jeroen duikt in elkaar. Het is de stem van zijn vader...

'Jeroen...! Amber...!' klinkt het nogmaals. Maar dit keer uit veel meer kelen.

Jeroen houdt zijn adem in. 'Ze komen me halen...' fluistert hij.

'Mooi dat ze ons niet te pakken krijgen...! Kom mee!' Amber pakt Jeroens hand. Ze schieten de hut uit en vluchten het donker in.

'Ze zijn er niet,' zegt Daniël die als eerste de lege hut in schijnt.

Ze kijken elkaar teleurgesteld aan.

'Dus hier zijn ze ook al niet.' De vader van Amber doet moeite om zich goed te houden.

'Gek, ik dacht vast dat ze hier zouden zijn.' Daniël schijnt het donker in. Dan ziet hij twee kinderen rennen. 'Wie zijn dat?' Hij wijst in de verte.

'Dat zijn ze!' roept Jeroens vader blij. Hij zet zijn handen aan zijn mond. 'Jeroen... Amber... blijf staan!'

Jeroen draait zich om. 'Ga weg! Ik kom niet meer terug. En Amber ook niet. Laat ons met rust!'

'Jeroen!' Meneer Van Dams stem klinkt smekend. 'Je hoeft niet bang te zijn. De politie heeft de bende ingerekend.'

Jeroen aarzelt. Als het waar is wat zijn vader zegt, is er niks aan de hand. Maar hoe langer ze erover nadenken, hoe meer ze beginnen te twijfelen. En na een paar seconden zijn ze ervan overtuigd dat het een list is om hen te lokken. En ze rennen door.

'Jeroen!' probeert Daniël. 'We zijn op het autokerkhof geweest. Ons geldkistje lag in een Volkswagenbus...'

Wááát...? Dit kunnen ze nooit hebben verzonnen...

Jeroen en Amber turen het donker in. Langzaam dringt de boodschap tot hen door. Dus Jeroen wordt niet meer verdacht!

Opeens ziet Amber in het licht van de maan haar vader. 'Pap, je bent naar huis gekomen!' Amber rent naar haar vader toe en valt hem huilend om de hals. 'Ik kon er niet meer tegen...'

Ambers vader drukt Amber dicht tegen zich aan. 'Het komt goed, kindje, geloof me. Het komt allemaal goed.'

'Je bent gelukkig weer boven water, jongen.' De vader van Jeroen legt zijn hand op Jeroens schouder. 'Je had het me natuurlijk meteen moeten vertellen. Maar dat is ook mijn schuld. Ik, eh... misschien ben ik wel een beetje te streng. Nou ja, je bent er weer, daar gaat het om.' En hij pakt Jeroens hand. 'Kom mee, mama is heel ongerust.'

Een poosje later zitten Jeroen en Amber veilig bij Erik en hun vrienden in de auto. De vaders rijden achter hen.

Jeroen moet het hele verhaal vertellen. Ze onderbreken hem niet één keer, zo spannend vinden ze het.

'Als ik thuis ben, vertel ik het meteen aan Hasna,' zegt Liza.

'Hoe, eh... hoe is het met haar?' vraagt Amber.

'Goed,' zegt Liza. 'Over twee weken krijgt ze loopgips. En dan komt ze weer op school. En vandaag heeft ze een heel grote fruitmand gekregen. Weet je van wie?'

'Nou?'

'Van de man die haar heeft aangereden. Hij had heel erge spijt dat-ie was doorgereden.'

'Wat fijn…!' roept Amber blij. 'Wat een opluchting!'

'Hoe bedoel je?' vraagt Liza.

Amber kijkt Jeroen aan. Wat moet ze nou zeggen?

'O, eh… voor die man natuurlijk,' helpt Jeroen Amber. 'Het is toch een opluchting voor die man dat hij zich zelf heeft aangegeven?'

Amber zit met haar vader in de kamer. 'Ik had nooit gedacht dat je naar huis zou komen,' zegt ze.

'De komende vier weken blijf ik thuis. Ik heb mijn vakantiedagen opgenomen. En voorlopig doe ik alleen korte vluchten. Tot mama haar evenwicht weer heeft gevonden. We moeten het dit keer maar eens goed aanpakken. Ik denk niet dat er zomaar een baan voor mama is te vinden. Maar misschien kan ze wel iets voor zichzelf beginnen. We hebben nog wat geld gespaard. Dat kunnen we daar mooi voor gebruiken.'

Dan gaat de kamerdeur open. Ambers moeder komt binnen.

Ze gaat naast Amber op de bank zitten. 'Amber, ik wil je wat vragen. Ik wil zo graag proberen om weer een goeie moeder te zijn. Je hoeft me niet te geloven. Maar laat het me proberen. Ik wil niet meer drinken. Nooit meer.'

Even blijft het stil. De moeder van Amber slikt een paar keer. 'Ik weet dat ik dat al vaker heb gezegd. Maar nu meen ik het. Wil je me nog één kans geven?'

Amber slaat haar ogen neer. Dan begint ze te huilen.

'Het is zo moeilijk je te geloven…'

Haar moeder neemt Ambers gezicht tussen haar handen.

'Amber, alsjeblieft…'

Amber kijkt naar haar moeders ogen. Naar de tranen die over haar wangen lopen. Ze meent het, denkt ze. Ze meent het écht.

Het is zover

Een paar weken later ligt het schoolplein vol tassen, luchtbedden en slaapzakken. Meester Erik en nog een paar ouders laden de bagage in de bus van Liza's vader. Want die kunnen ze op de fiets niet meenemen. Voorin, naast Liza's vader, zit Hasna. Gelukkig mag ze wel mee met de driedaagse schoolreis, maar fietsen gaat nog niet.

De leerlingen van groep acht staan opgewonden naast hun fiets te wachten tot meester Erik het vertreksein geeft.

Dan nemen de kinderen afscheid van hun ouders.

'Dag mam, dag pap,' roept Jeroen.

'Zul je voorzichtig zijn?' De moeder van Amber geeft Amber een zoen. Geen zoen die naar sherry ruikt, maar een gewone zoen.

Tim stoot Thijs aan. 'Amber, ik ga naast jou fietsen,' roept hij.

'Dat had je gedacht,' zegt Jeroen.

'Jeroen is niet verliefd,' lacht Liza.

'Nee, hoor, Jeroen is helemaal niet verliefd,' lachen de anderen.

'Nee, hoor, Jeroen is niet verliefd,' roept Tim. 'Jeroen is smoorverliefd!'
En luid bellend fietsen ze weg.